N3合格！日本語能力試験問題集
The Workbook for the Japanese Language Proficiency Test

N3 語彙 スピードマスター

Quick Mastery of N3 Vocabulary

N3 词汇 快速掌握

N3 어휘 스피드 마스터

中島智子・松田佳子・高橋尚子 共著

Jリサーチ出版

はじめに

日本語能力試験は2010年に改定され、「コミュニケーションを重視」した試験になりました。N3では「日常的な場面で使われる日本語をある程度理解することができる」ことが求められています。コミュニケーションを図るためには、四技能の総合的な能力が必要となりますが、語彙力はその基礎となるものです。

言葉の学習では、単に一つ一つの言葉の意味を覚えるだけでなく、その使い方や他の言葉との関連性を踏まえ、言葉のネットワークを構築することが重要だと考えます。そのため本書では、大小のテーマを設定し、言葉の整理をしながら、効率良く語彙を増やせるよう工夫しました。また、実際のコミュニケーションですぐに活用できるよう、現実的な会話場面を想定し、日常生活に沿った語彙や表現を選定しました。

本書を使った学習を通して、皆さんが日本語能力試験N3に合格すること、また本書が皆さんの日本語力の向上に役立つことを願っています。

著者一同

Preface

The Japanese Language Proficiency Test (JLPT) was revised in 2010 to place more emphasis on "communication". The level N3 test requires "the ability to understand a fair amount of spoken Japanese used in everyday situations". In order to communicate effectively, a comprehensive grasp of the four skills of speaking, listening, reading and writing is necessary, but a substantial vocabulary provides an essential foundation.

The study of vocabulary is not just a matter of simply remembering the meanings of single words. Rather, what is important is to build "networks" of words based on how they are used and their relationships to other words. As such, this book was created using various themes according to which words have been organized, and special care has been taken to allow users to increase their vocabulary in the most efficient way possible. In addition, realistic conversational settings have been devised and words and expressions appropriate to everyday life have been chosen so that users will be able to quickly apply what they have learnt in order to actually communicate in real life.

Using this book as a study aid, we hope all users succeed in passing the level N3 test as well as boosting their Japanese ability.

The authors

前言

日语能力考试在 2010 年进行改革，演变为“重视交流能力”的考试。在日语三级能力考试中，要求“在一定程度上理解日常生活中的会话”。为了大家能用日语流利地进行语言交流，有必要培养大家四种技能的综合能力，词汇能力就是其中的基础部分。

关于词汇的学习，重要的不仅仅是记住每一个单词的意思，而且还要以单词的用法、以及与其他词语的关联性为基础，构筑一定的语言网络体系。为此，本书设定了大大小小的话题，并在语言的整理和有效地增加词汇量方面下了不小功夫。另外，为了能在实际会话中活学活用，我们还设想出现实中的会话场面，选择了一些在日常生活中经常使用的词汇和表达方式。

希望大家通过对本书的学习，不仅能顺利通过日语的三级能力考试，还能更好地提高自己的日语能力。

시작하며

일본어 능력 시험은 2010 년에 개정되어 “커뮤티케이션을 중시”한 시험이 되었습니다. N3 에서는 “일상적인 장면에서 사용되는 일본어를 어느 정도 이해할 수 있는” 것이 요구됩니다. 커뮤니케이션을 하기 위해서는 네 기능의 종합적인 능력이 필요합니다. 어휘력은 그 기초가 됩니다.

언어 학습에서는 단순히 하나하나의 의미를 외우는 것이 아니라 그 사용법과 다른 말과의 관련성을 기초로 단어의 네트워크를 구축하는 것이 중요하다고 생각됩니다. 그러기 위해 본서에서는 대소의 주제를 설정하여 단어를 정리하면서 효율적으로 어휘를 늘릴 수 있도록 궁리하였습니다. 또한, 실제 커뮤티케이션에서 바로 사용할 수 있도록 현실적인 회화장면을 설정하여 일상생활에 따른 어휘와 표현을 선정하였습니다.

본서를 사용한 학습을 통해 여러분이 일본어 능력 시험 N3 에 합격하기를, 또한 본서가 여러분의 일본어 능력 향상에 도움이 되기를 바랍니다.

저자일동

もくじ

Contents／目录／목차

日本語能力試験と語彙問題

●目的：日本語を母語としない人を対象に、日本語能力を測定し、認定すること。
※課題遂行のための言語コミュニケーション能力を測ることを重視。

●試験日：年２回（7月、12月の初旬の日曜日）

●レベル：N５（最もやさしい）→　N１（最もむずかしい）

N１：幅広い場面で使われる日本語を理解することができる。

N２：日常的な場面で使われる日本語の理解に加え、より幅広い場面で使われる日本語をある程度理解することができる。

N３：日常的な場面で使われる日本語をある程度理解することができる。

N４：基本的な日本語を理解することができる。

N５：基本的な日本語をある程度理解することができる。

レベル	試験科目	時間	得点区分	得点の範囲
N１	言語知識（文字・語彙・文法）・読解	110分	言語知識（文字・語彙・文法）	0〜60点
			読解	0〜60点
	聴解	60分	聴解	0〜60点
N２	言語知識（文字・語彙・文法）・読解	105分	言語知識（文字・語彙・文法）	0〜60点
			読解	0〜60点
	聴解	50分	聴解	0〜60点
N３	言語知識（文字・語彙）	30分	言語知識（文字・語彙・文法）	0〜60点
	言語知識（文法）・読解	70分	読解	0〜60点
	聴解	40分	聴解	0〜60点
N４	言語知識（文字・語彙）	30分	言語知識（文字・語彙・文法）・読解	0〜120点
	言語知識（文法）・読解	60分		
	聴解	35分	聴解	0〜60点
N５	言語知識（文字・語彙）	25分	言語知識（文字・語彙・文法）・読解	0〜120点
	言語知識（文法）・読解	50分		
	聴解	30分	聴解	0〜60点

※N１・N２の科目は２科目、N３・N４・N５は３科目

●認定の目安：「読む」「聞く」という言語行動でN５からN１まで表している。

●合格･不合格:「総合得点」と各得点区分の「基準点（少なくとも、これ以上が必要という得点）」で判定する。

☞くわしくは、日本語能力試験のホームページ〈http://www.jlpt.jp/〉を参照してください。

Ｎ３のレベル

※以前の２級と３級の間のレベル〈新しいレベル〉

	Ｎ３のレベル
読む	●日常的な話題について書かれた具体的な内容を表す文章を、読んで理解することができる。 ●新聞の見出しなどから、情報の内容を理解することができる。 ●日常的な場面で見る少し難しい文章は、易しく言いかえた表現を読めば、ポイントを理解することができる。
聞く	●日常的な場面の、やや自然に近いスピードのまとまりのある会話を聞いて、具体的な内容を人物関係などとあわせて、だいたい理解できる。

語彙問題の内容

	大問 ※1･2は漢字の問題		小問数	ねらい
文字・語彙	4	文脈規定	11	文の内容から言葉がどういう意味を持つのかを問う。
	5	言い換え類義	5	同じような意味を持つ語や表現を問う。
	6	用法	5	言葉が文の中でどのように使われるのかを問う。

※語彙の問題は基本的に、以前の試験でも出題されていた形式です。
※小問の数は変わる場合もあります。

この本の使い方

◆ PART 1「新しい言葉を覚えよう」では、N３レベルとして新たに学習する語を中心に取り上げ、大小のテーマでまとめながら提示しています。ほかの語との共通点や違い、使い方なども考えながら、覚えていきましょう。

◆ In part 1, "Let's memorize new words", new vocabulary words learned as N3 level are taken up, and they are presented concisely in both big and small theme. Understand common or different points and usage in other vocabulary words, and memorize them.

◆ 在第一部分"记忆新单词"中，以日语三级能力考试中出现的新单词为中心，在大小的主题中总结出来，并给大家一定提示。一边思考与其他单词的共同点和相异点以及使用方式，一般记住单词。

◆ PART 1 "새 단어를 외우자"에서는 N 3 수준으로 새로 학습하는 단어를 중심으로 들어 대소 주제로 정리하면서 제시해 갑니다. 다른 단어와 공통점이나 차이, 사용법 등을 생각하면서 외워갑시다.

学習対象として取り上げた語句を太く表示しています。

Vocabulary words taken up as target learning words are written in boldface.

我们需要学习的语句是粗字体表示出来的。

학습 대상으로 든 어구를 굵게 표시합니다.

参考として、関連のある語を示しています。

As a reference, related words are listed.

作为参考，表示出相关的词语。

참고로 관련이 있는 단어를 표시하고 있습니다.

〔　〕同じ意味の言葉
Words with the same meaning
同义词／같은 의미의 말
例：書店〔本屋〕

⇔　反対の意味の言葉
Words with the opposite meaning
反义词／반대 의미의 말

類　同じような例
Similar examples／类似的例子／같은 예

16 郵便・宅配

Mail & home delivery／邮政・宅急便(送货上门服务)／우편・택배

●手紙・はがき Letters & postcards／信・明信片／편지・엽서

はがきを出す	to mail a postcard／邮寄明信片／엽서를 부치다
▶絵はがき	picture postcard／明信片／그림엽서
80円切手を貼る	affix an 80-yen stamp／贴80日元的邮票／80엔 우표를 바르다
封筒に入れる	put in an envelope／放入信封内／봉투에 넣다
▶返信用封筒	self-addressed stamped envelope／回信用的信封／반신용봉투
写真を同封する	enclose photos／内附照片／사진을 동봉하다
年賀状	New Year's greeting card／贺年片／연하장
便せん	stationery／信笺纸／편지지

●～を記入する Filling out／填写～／～을 써 넣다

あて先	destination, (receiving) address／收信地址／받는 사람
お届け先	destination, (receiving) address／收件人, 投递处／보내는 사람
郵便番号	postal code／邮政编码／우편번호
住所	address／住址／주소
氏名	name／姓名／이름
▶用紙に記入する	to fill out a form／填入规定用纸／용지에 써 넣다

●方法 Way／如何／방법

普通郵便	regular mail／平信／우편번호
速達	special delivery／快递邮件／속달
書留	registered mail／挂号信／등기
航空便	airmail／航空邮件／항공편
船便	sea mail, surface mail／船运／선편
宅配	home delivery／送货上门服务／택배

●配達する・届く Delivery／配送・抵达／배달하다 도착하다

荷物を配達する	to deliver a package／投递货品／짐을 배달하다
荷物を届ける	to deliver a package／送货／짐을 배달하다
⇔**荷物が届く**	a package is delivered／货物抵达／짐이 도착하다
荷物が着く	a package arrives／货物到达／짐이 도착하다
荷物を受け取る	to receive a package／收货／짐을 받다
はんこを押す	to stamp one's seal／盖章／도장을 찍다
サインをする	to sign／签字(署名)／사인을 하다

●その他

便りがある	to receive news/a letter／有信, 有消息／소식이 있다
返事を書く	to write a reply／回信／답장을 쓰다
送料がかかる	to incur a shipping fee／花邮费／송료가 들다
小包	package／包裹／소포
電報	telegram／电报／전보

46

◆PART 1で3回、実戦形式の練習問題をして復習をします。そして最後に、模擬試験（2回）で実力をチェックします。

◆ In part 1, you will do the practical exercises three times and review the lesson. Finally, you will take mock tests twice and check your ability.

◆ 在第一部分中，采取三次实战方式的进行问题的练习和复习。最后，在模拟考试（两次）中检查大家的日语实力。

◆ PART 1 에서 3 회, 실전형식의 연습문제로 복습을 합니다. 그리고 마지막으로 모의시험(2회)으로 실력을 체크합니다.

16 例文

①「荷物は宅配で送る？　それとも持って帰る？」「そんなに重くないから、持って帰るよ」

②係：こちらの用紙にお届け先のご住所とお名前をご記入ください。

③航空便だと、いくらかかりますか。

④「速達で出したほうがいいのかなあ？」「いや、普通郵便でも大丈夫だよ」

⑤配達の人：お届け物です。こちらにはんこかサインをお願いします。

会話を中心にした例文で、実際の使い方を紹介しています。

Practical usage is introduced in mainly conversational example sentences.

在以会话为中心的例句中，介绍了实际的使用方法。

회화를 중심으로 한 예문으로 실제 사용법을 소개하고 있습니다.

16 郵便・宅配

CD 32 付属のCDに、各ユニットの例文の音声が入っています。

Recordings of example sentences for each unit can be found on the enclosed CD.

本教材所附带的CD，灌有各单元的例句录音。

부속 CD에 각 유니트의 예문 음성이 들어 있습니다.

ドリル

つぎの（　　）に合うものをa～eの中から一つ選びなさい。

1）

①（　　）を書き間違えたため、手紙がもどってきてしまった。

②お（　　）ありがとうございます。お元気そうで、よかったです。

③結婚式には出席できないから、お祝いの（　　）を送るつもりです。

④締切に間に合わないかもしれないよ。（　　）で送ったらどう？

a. 速達	b. 書留	c. 電報	d. 便り	e. あて先

2）

①航空便にすると、送料が1万円も（　　）しまう。

②ほかの部品がまだ（　　）いないから、作業を進めることができない。

③このラベルに住所と名前、電話番号を（　　）ください。

④郵送での受け取りをご希望の場合は、返信用封筒を（　　）ください。

＊ラベル：物に貼るための紙

a. 配達して	b. 届いて	c. かかって	d. 記入して	e. 同封して

47

最後にドリルをして、意味や使い方をもう一度確認します。

Finally, do the exercises and check the meaning or usage one more time.

最后，进行练习，再一次确认意思和使用方式。

마지막으로 드릴을 풀어 의미나 사용법을 다시 한번 확인합니다.

★漢字かひらがなか、などの表記については、固定せず、ある程度柔軟に扱っています。

We have been somewhat flexible in our choice of kanji or hiragana for the transcription of words in this text.

对于是汉字还是平假名的表示方法并没有固定，而是在一定程度上采取了灵活的处理方式。

각각의 "플러스(1 ~ 3)의 마지막에 복습문제가 있습니다. 또한, 하나의 이야기가 끝날 때마다 실전형식의 연습문제를 풉니다.

PART 1

新しい言葉を覚えよう

あたら　ことば　おぼ

Memorizing new words

记新单词

새 단어를 외우자

1 時間（じかん）

Time／时间／시간

●時間（じかん） Time／时间／시간

現在（げんざい） present／现在／현재

▶過去（かこ） past／过去／과거

▶未来（みらい） future／未来／미래

将来の夢（しょうらい ゆめ） dream for the future／将来的梦想／장래의 꿈

早朝（そうちょう） early morning／清早／아침 일찍

昼間は暖かい（ひるま あたた） It is warm in the daytime.／白天天气暖和／낮은 따뜻하다

日中（にっちゅう） daytime, during the day／白天､中午／낮 동안

例:日中（れい）はずっと雨（あめ）でした。
It rained all day long.／白天一直在下雨。／낮 동안은 쭉 비였습니다.

夜中（よなか） nighttime, in the middle of the night／半夜／한 밤중

例:夜中に電話（でんわ）があった。
I got a phone call in the middle of the night.／半夜电话响了。／밤중에 전화가 있었다.

真夜中〔深夜〕（ま しんや） middle of the night, midnight／深更半夜／한밤중

●時期など（じき） Times & periods／时期等／시기 등

平日（へいじつ） weekday／平时／평일

休日（きゅう） holiday, day off／休息日／휴일

祝日（しゅく） (national) holiday／节日／축일

週末（しゅうまつ） weekend／周末／주말

類 月末、年末（げつ ねん）

年末年始（し） year-end and New Year's holidays／年初年末／연말연시

上旬〔初旬〕（じょうじゅん しょ） first ten days of the month／上旬／상순

中旬（ちゅう） second ten days of the month／中旬／중순

下旬（げ） last ten days of the month／下旬／하순

●休日（きゅうじつ） Holidays／休息日／휴일

連休（れん） consecutive holidays／连休／연휴

お盆休み（ぼんやす） Bon holiday／盂兰盆节的假期／오봉휴가(한국의 추석 같은 것)

ゴールデンウィーク Golden Week／黄金周／골덴위크

●その他（た） Other／其他／그 밖

週明け（しゅう あ） beginning of the week／一周开始之时／주의 시작

類 年明け、休み明け（とし やす）

年中無休（ねんじゅう む きゅう） open every day of the year／终年不休息／연중무휴

CD 01 **例文**

①**月末**だから、今日は銀行、混んでるでしょうね。
げつまつ　　　きょう　ぎんこう　こ

②今週は忙しいので、返事は**週明け**になってもいいですか。
こんしゅう　いそが　　　　へんじ　しゅうあ

③「**将来**、どんな仕事がしたいですか」「貿易の仕事がしたいです」
しょうらい　　　　　しごと　　　　　　　ぼうえき　しごと

④「あのー、**年末年始**はお店、開いてますか」「ええ。うちは**年中無休**ですから」
ねん し　　みせ　あ　　　　　　　　　　　じゅうむきゅう

⑤来月**上旬**に引っ越しする予定です。
らい じょうじゅん　ひ　こ　　　　よてい

ドリル

つぎの（　　　）に合うものをａ～ｅの中から一つ選びなさい。

１）

①あの学生は（　　　）、新聞配達のアルバイトをしている。
がくせい　　　　　しんぶんはいたつ

②（　　　）だから、タクシー代がちょっと高くなっていた。

③来月の（　　　）に休みを取って、旅行に行くつもりです。
らいげつ　　　　　　やす　と　　　りょこう　い

④私は昨年まで会社員でしたが、（　　　）は自分の会社を経営しています。
わたし　さくねん　　かいしゃいん　　　　　　　じぶん　けいえい

a. 日中	b. 現在	c. 早朝	d. 中旬	e. 深夜
にっちゅう	げんざい	そうちょう	ちゅうじゅん	しんや

２）

①「（　　　）は何か予定、ありますか」「月曜に試験があるので、勉強します」
なに　よてい　　　　　　　げつよう　しけん　　　　　　べんきょう

②５月上旬の（　　　）に、海外旅行に行きます。
がつじょうじゅん　　　　　かいがいりょこう　い

③（　　　）の夜は時間がないので、週末に会いましょう。
よる　じかん　　　　　しゅうまつ　あ

④７月には「海の日」という（　　　）がある。

a. 平日	b. 祝日	c. ゴールデンウィーク	d. お盆休み	e. 週末
へいじつ	しゅくじつ		ぼんやす	しゅうまつ

2 家族・友人
かぞく　ゆうじん

family, friend／家人、朋友／가족 친구

●家族 (かぞく) family／家人／가족

親 (おや)	parent／家人／부모
▶父親、母親 (ちちおや　ははおや)	
▶両親 (りょうしん)	parents／双亲／양친
祖父 (そふ)	grandfather／祖父／조부
祖母 (そぼ)	grandmother／祖母／조모
おじ	uncle／叔叔／삼촌(외삼촌)
おば	aunt／婶子／숙모(외숙모)
息子 (むすこ)	son／儿子／아들
娘 (むすめ)	daughter／女儿／딸
甥 (おい)	nephew／侄子／남자 조카
姪 (めい)	niece／侄女／조카딸
孫 (まご)	grandchild／孙子／손자
嫁 (よめ)	daughter-in-law／儿媳／며느리
長男・次男・三男 (ちょうなん　じなん　さんなん)	the eldest son, the second son, the third son／長子、次子、三子／장남、차남、삼남
長女・次女・三女 (ちょうじょ　じじょ　さんじょ)	the eldest daughter, the second daughter, the third daughter／長女、次女、三女／장녀、차녀、셋째 딸
親せき〔親類〕 (しん　しんるい)	relative／亲戚／친척

●友人・上司 (ゆうじん　じょうし) friend, boss／朋友、上司／친구 상사

友人 (ゆうじん)	friend／朋友／친구
知人〔知り合い〕 (ちじん　しあ)	acquaintance／熟人／아는 사람
先輩 (せんぱい)	one's senior／前辈／선배
後輩 (こうはい)	one's junior／晚辈／후배
上司	boss／上司／상사
部下 (ぶか)	subordinate／部下／부하
同僚 (どうりょう)	co-worker／同事／동료
仲間 (なかま)	friends, company／伙伴／동료
同級生 (きゅうせい)	classmate／同级生／동급생

●その他 (た)

家庭 (かてい)	home／家庭／가정
うち	my home／(我)家／집 ※「私の家 (いえ)」の意味。例：うちのテレビ、うちの息子、うちに帰る
実家 (じっ)	one'a parents' home／父母家／생가,친정
他人 (たにん)	others／他人／타인
独身 (どくしん)	single／独身／독신

CD 02 **例文**

①「あの方はお父さんですか」「いえ、あれは私の**おじ**です」
②「夏休みは、どこかへ行きますか」「ええ、**実家**に帰ります」
③お正月は毎年一日に、私の家に**親せき**が集まるんです。
④「この写真、見てください。私の**孫**です」「えっ！　森さん、おじいちゃんなんですか」
⑤「車、買ったんですか」「いえいえ。**知り合い**に借りたんです」

ドリル

つぎの（　　　）に合うものをａ～ｅの中から一つ選びなさい。

1）

①私には息子が一人と、（　　　）が二人います。
②息子と（　　　）は、結婚して５年になります。
③彼にはお兄さんがいるから、（　　　）ではないですよ。
④昨日、妹が、甥と（　　　）を連れて遊びに来た。

a. 嫁	b. 姪	c. 長男	d. 娘	e. 長女

2）

①（　　　）から食事に誘われたら、なかなか断れない。
②父は毎月、（　　　）と一緒に山登りに出かけます。
③私と彼は、同じ高校の（　　　）です。
④佐藤さんは、私の一年（　　　）です。

a. 同級生	b. 上司	c. 先輩	d. 他人	e. 仲間

3 食(た)べる・飲(の)む

Eat & drink／吃・喝／먹다 마시다

●食(た)べる・飲(の)む　Eat & drink／吃· 喝 / 먹다 마시다

噛(か)む	to chew, to bite／嚼／씹다
かじる	to bite, to nibble／咬／갉아먹다
なめる	to lick／舔／핥다
味(あじ)わう	to taste／品尝／맛보다
食事(しょくじ)を取(と)る	to eat a meal／吃饭／식사를 먹다
酔(よ)う	to become drunk／醉／취하다
酔っぱらう	to become drunk／酩酊大醉／취하다
お腹(なか)がすく	to become hungry／肚子饿／배가 고프다
のどが渇(かわ)く	to become thirsty／喉咙渴／목이 마르다
食欲(しょくよく)がある ⇔食欲がない	to have an appetite／有食欲／식욕이 있다
食べ過(す)ぎる	to eat too much／吃多了／과식하다

類 飲み過ぎる、多(おお)過ぎる、甘(あま)過ぎる

自炊(じすい)する	to cook for oneself／自己做饭／자취하다

●食事(しょくじ)　meals／餐／식사

朝食(ちょう)＝朝(あさ)ごはん

昼食(ちゅう)＝昼(ひる)ごはん、お昼

夕食(ゆう)＝晩(ばん)ごはん

おやつ	snack／零食／간식
夜食(や)	late-night snack／夜宵／야식
弁当(べんとう)	boxed meal／便当／도시락
定食(てい)	set meal／套餐／정식
おかわり	seconds, extra helping／再来一份／같은 음식을 더 먹음
ダイエット	diet／减肥／다이어트
おかず	dish served with rice／菜／반찬
そうざい	prepared food／家常菜／반찬
食品(ひん)	food／食品／식품
▶冷凍(れいとう)食品・インスタント食品	frozen food/instant food／冷冻食品、方便食品／냉동식품· 간편식
缶(かん)	can／罐／캔
▶缶コーヒー・缶づめ・空(あ)き缶	canned coffee/canned/empty can／罐装咖啡、罐头、空罐／캔커피 깡통조림 빈 깡통

●食(た)べ物(もの)　foods／食品 / 음식

ジャガイモ	potato／马铃薯／감자
タマネギ	onion／洋葱／양파
ニンジン	carrots／胡萝卜／당근
ピーマン	green pepperr／青椒／피망
キャベツ	cabbage／卷心菜／양배추
レタス	lettuce／生菜／양상추
トマト	tomatoes／西红柿／토마토
ニンニク	garlic／大蒜／마늘
ショウガ	ginger／姜／생강
ハム	ham／火腿／햄
ソーセージ	sausage／香肠／소시지
チーズ	cheese／奶酪／치즈
アイスクリーム	ice cream／冰淇淋／아이스크림

●その他

ぬるい lukewarm／温的／미지근하다

体にいい／悪い good/bad for you／对身体好/不好／몸에 좋다/나쁘다

CD 03 **例文**

①「みそは**体にいい**んだから、みそ汁もちゃんと飲んでね」「はい、はい」
②「頭が痛いんですか」「はい。昨日、お酒を**飲み過ぎて**しまって……」
③「ビール、ちょっと**ぬるい**ですね」「もう一度、冷蔵庫に入れましょう」
④ちょっと**なめて**みてください。この塩はすごくおいしいんです。
⑤「このお肉はすごく高いから、よく**味わって**食べてね」「わかった」

ドリル

1）つぎの（　　　）に合うものを下の語から一つ選び、必要があれば形を変えて入れなさい。

①このホテルのレストランでは、世界中の料理を（　　　　　）ことができる。
②さっきリンゴを（　　　　　）たら、歯がすごく痛かった。
③あそこであめを（　　　　　）ている子供が、私の息子です。
④この肉はとてもやわらかいので、あまり（　　　　　）なくても食べられる。

食べる	噛む	かじる	味わう	なめる

2）つぎの（　　　）に合うものをａ～ｅの中から一つ選びなさい。

①お昼ごはんはいつも（　　　）ですか、それとも会社の食堂で食べますか。
②今日はおかずを作る時間がないので、スーパーで（　　　）を買って帰ろう。
③「コーヒーの（　　　）はいかがですか」「お願いします」
④（　　　）を食べないで学校に行く子供が増えているが、それは体によくない。

a. 夜食	b. おかわり	c. 弁当	d. 惣菜	e. 朝食

4 料理(りょうり)・味(あじ)

cooking and flavors／菜肴・味道／요리 맛

●料理(りょうり)する　Cook／烹饪／요리하다

タマネギを刻(きざ)む	chop an onion／切碎洋葱／양파를 잘게 썰다
リンゴの皮(かわ)をむく	peel an apple／削苹果皮／사과의 껍질을 벗기다
魚(さかな)を焼(や)く	grill fish／烤鱼／생선을 굽다
肉(にく)を炒(いた)める	fry meat, saute meat／炒肉／고기를 볶다
野菜(やさい)を蒸(む)す	steam vegetables／蒸蔬菜／야채를 찌다
豆(まめ)を煮(に)る	simmer beans／煮豆子／콩을 삶다
卵(たまご)をゆでる	boil an egg／煮鸡蛋／계란을 삶다
油(あぶら)で揚(あ)げる	fry, deep fry／用油炸／기름으로 튀기다
フライパンを熱(ねっ)する	heat a frying pan ／ 加热平底锅 ／ 프라이팬을 달구다
お湯(ゆ)を注(そそ)ぐ	pour hot water／倒入热水／뜨거운 물을 붓다
ご飯(はん)を炊(た)く	cook rice／做米饭／밥을 짓다
お湯(ゆ)をわかす	boil water／烧开水／물을 끓이다

●温(あたた)める・冷(ひ)やす　Heating and cooling／加热・冰镇／데우다 식히다

温める(スープを)	warm up／加热／데우다
⇔温まる	become warm／暖和／따뜻해지다
冷やす(ビールを)	cool down／冰镇／식히다
⇔冷える	become cool／变冷／식다

例：ビールが冷えている。

冷(さ)める(スープが)	cool off／变凉／식다
⇔冷ます	become cool／弄凉／식히다
こげる(魚(さかな)が)	scorch, burn／烤焦／타다
こがす	become scorched／烧煳／태우다

●味(あじ)　Flavors／味道／맛

甘(あま)い	sweet／甜的／달다
辛(から)い	spicy／辣的／맵다
塩(しお)辛い	salty／咸的／짜다
すっぱい	sour／酸的／시다
苦(にが)い	bitter／苦的／쓰다
味が濃(こ)い	strong flavored／味道浓／맛이 진하다
味が薄(うす)い	bland, mild flavored／味道淡／싱겁다

●調味料(ちょうみりょう)　Seasonings／调味料／조미료

塩(しお)	salt／盐／소금
砂糖(さとう)	sugar／砂糖／설탕
みそ	miso／酱／된장
しょう油(ゆ)	soy sauce／酱油／간장
酢(す)	vinegar／醋／식초
油(あぶら)	oil／油／기름
こしょう	pepper／胡椒／후추
マヨネーズ	mayonnaise／沙拉酱／마요네즈
ケチャップ	ketchup／番茄酱／케첩

●その他(た)

かたい	hard／硬的／딱딱하다
やわらかい	soft／软的／부드럽다
新鮮(しんせん)な	fresh／新鲜的／신선한
生(なま)	raw／生／생
腐(くさ)る	spoil, rot／腐烂／썩다

いためる

あげる

ゆでる

むす

D 04 **例文**

①「この魚、ちょっと**こげてる**」「**こげた**ところは食べないほうがいいよ。体によくないから」
②だいぶ**煮て**あるので、野菜はやわらかくなっています。
③「このお菓子は**油で揚げた**ものですか」「いえ、**焼いた**だけです」
④このお茶、とても熱いですから、少し**冷まして**から飲んでください。
⑤ジャガイモの**皮をむいたら**細く**切って**、豚肉といっしょに**炒めて**ください。

ドリル

1）つぎの（　　）に合うものを下の語から一つ選び、必要があれば形を変えて入れなさい。

①「てんぷら」は、野菜や魚などを油で（　　　　）た料理です。
②タマネギやニンジンなどを（　　　　）で煮ただけの簡単なスープです。
③カップラーメンは、お湯を（　　　　）でから３分で食べられます。
④パスタは（　　　　）すぎるとおいしくないので、気をつけてください。

刻む	注ぐ	ゆでる	揚げる	炊く

2）つぎの（　　）に合うものをａ～ｅの中から一つ選びなさい。

①お酢が多かったみたいです。ちょっと（　　　）ですね。
②さっき（　　　）ものを食べたから、水が飲みたくなってきた。
③このバナナはちょっと（　　　）ですね。あまり甘くないかもしれません。
④海の近くだから、このお店は魚が（　　　）ですね。すごくおいしいです。

a. 甘い	b. 新鮮	c. すっぱい	d. 硬い	e. 辛い

5 レストラン

restaurant／餐馆／레스토랑

●外食（がいしょく）　eating-out／在外面吃饭／외식

外食（がいしょく）する	to eat out／在外面吃饭／외식하다
定食（ていしょく）	set meal／套餐／정식
セット	set／套餐／세트
ランチ	lunch／午餐／점심
ディナー	dinner／晚宴／저녁 식사
ドリンク	drinks／饮料／음료수
おすすめ	recommendation／推荐／추천
持（も）ち帰（かえ）り	take-out／带回／산 물건을 직접 들고 감
▶テイクアウトする	to take out／带回／가져 나가다
会計（かいけい）が済（す）む	to finish accounts／结账／계산이 끝나다

例:会計はもう済んだ？／会計、お願（ねが）いします。

勘定（かんじょう）を払う	to pay a bill／支付帐目／계산을 지급하다

例（れい）:お勘定、お願いします。

伝票（でんぴょう）	slip／发票／전표
取（と）り消（け）す〔キャンセルする〕	to cancel／取消／지우다

例:注文（ちゅうもん）を～、予約（よやく）を～

皿（さら）を下（さ）げる	to take one's plate away／撤下盘子／접시를 치우다
サービスする	to give free~／服务／서비스를 하다

例:コーヒーの無料（むりょう）サービス

サービスがいい	to offer good service／服务好／서비스가 좋다
⇔サービスが悪（わる）い	

●店（みせ）・座席（ざせき）　restaurant, seat／店、座位／가게 좌석

ファミレス〔ファミリーレストラン〕	family restaurant／家常餐馆／패밀리레스토랑
ファーストフード	fast food／快餐／패스트푸드
居酒屋（いざかや）	Japanese-style bar／小酒馆／선술집
カフェ	cafe／西餐馆／카페
バイキング	buffet／自助餐／뷔페
禁煙席（きんえんせき）	non-smoking seat／禁烟席位／금연석
⇔喫（きつ）煙席	smoking section／吸烟席位／끽연 석
満（まん）席	full, packed／满座／만석

CD 05

例文(れいぶん)

①「今日(きょう)行(い)けなくなったので、予約(よやく)を**キャンセルし**たいんですが」「はい、かしこまりました」
②「こちらのお皿(さら)、お**下(さ)げして**もよろしいですか」「はい、お願(ねが)いします」
③「**喫煙席(きつえんせき)**はありますか」「申(もう)し訳(わけ)ございません。すべて**禁煙席(きんえんせき)**となっております」
④「**お会計(かいけい)**はご一緒(いっしょ)ですか」「いえ、別(べつ)でお願いします」
⑤「どうする？　ここで食べていく？」「あんまりゆっくりできないから、**テイクアウト**にしようか」

ドリル

1）つぎの（　　　）に合(あ)うものを下(した)の語(ご)から一(ひと)つ選(えら)び、必要(ひつよう)があれば形(かたち)を変(か)えて入(い)れなさい。

①仕事(しごと)が終(お)わらなかったので、レストランの予約(よやく)を（　　　　　）した。
②あの店(みせ)は夕方(ゆうがた)５時半(じはん)までに行(い)くと、ビールを一杯(いっぱい)（　　　　　）てくれる。
③土曜日(どようび)の夜(よる)は、家族(かぞく)で（　　　　　）ことが多(おお)いです。
④会計(かいけい)はもう（　　　　　）せたから、あと５分(ふん)くらいでここを出(で)ましょう。

払(はら)う	取(と)り消(け)す	済(す)む	外食(がいしょく)する	サービスする

2）つぎの（　　　）に合(あ)うものをａ～ｅの中(なか)から一(ひと)つ選(えら)びなさい。

①「個室(こしつ)はありますか」「すみません。（　　　）かカウンターになるんですが」
②ケーキとコーヒーを（　　　）で頼(たの)むと、安(やす)くなります。
③「すみません、これ、テイクアウトで」「お（　　　）ですね。かしこまりました」
④時間(じかん)がないから、ハンバーガーとかの（　　　）でもいいよ。

a. 会計(かいけい)	b. テーブル席(せき)	c. 持(も)ち帰(かえ)り	d. ファーストフード	e. セット

6 毎日（まいにち）の生活（せいかつ）

Everyday life／每天的生活／매일의 생활

●毎日（まいにち）の生活（せいかつ） Everyday life／每天的生活／매일의 생활

- 目（め）を覚（さ）ます　to wake up／弄醒／잠을 깨우다
- ▶目が覚める　to wake up／醒来／잠이 깨다
- ▶目覚（ざ）まし時計（どけい）をセットする　to set an alarm clock／定闹钟／자명 시계를 세트 하다
- 歯（は）を磨（みが）く　to brush one's teeth／刷牙／이를 닦다
- 着（き）替（が）える　to get dressed, to change one's clothes／换衣服／옷을 갈아입다
- 化粧（けしょう）をする〔メイク(をする)〕　to put on makeup／化妆／화장하다
- 髪（かみ）をセットする　to do one's hair／做头发／머리를 세트 하다
- ひげをそる　to shave／剃胡子／수염을 깎다
- 服装（ふくそう）　clothes／服装／복장
- 外出（がいしゅつ）する　to go out／外出／외출하다
- 出勤（しゅっきん）する　to go to work／上班／출근하다
- 通（つう）勤する　to commute to work／上下班／통근하다
- ▶通学（がく）する　to commute to school／上学／통학하다
- 帰宅（きたく）する　to go home／回家／귀가하다
- 食器（しょっき）を片（かた）づける　to put away the dishes／收拾餐具／식기를 정리하다
- くつろぐ　to relax／放松休息／편히 쉬다
- パジャマ　pajamas／睡衣／잠옷

●家事（かじ） Housework／家务／가사

- ゴミを捨（す）てる　to dispose of garbage／扔垃圾／쓰레기를 버리다
- ゴミを出（だ）す　to put out the garbage／扔垃圾／쓰레기를 내놓다
- 洗濯物（せんたくもの）を干（ほ）す　to hang (out) the laundry／晾晒衣物／빨래를 말리다
- ▶洗濯物が乾（かわ）く　laundry dries／好的衣物干了／빨래가 마르다
- 洗濯機（き）　washer／洗衣机／세탁기
- 洗剤（ざい）　detergent／洗涤剂／세제
- 石（せっ）けん　soap／肥皂／비누
- 汚（よご）れを落（お）とす　to wash out stains/dirt／去除污垢／얼룩을 빼다
- ▶汚れが落ちる　stains/dirt are washed out／污垢去掉了／얼룩이 빠지다
- 掃除（そうじ）機をかける　to vacuum／用吸尘器清扫／청소기를 돌리다
- テーブルを拭（ふ）く　to wipe off a table／擦桌子／테이블을 닦다
- シャツをクリーニングに出（だ）す　to take a shirt to the dry cleaner／拿到干洗店／셔츠를 클리닝에 내놓다

●ゴミ Garbage／垃圾／쓰레기

- ゴミを分別（ぶんべつ）する　to sort garbage／给垃圾分类／쓰레기를 분별하다
- 粗大（そだい）ゴミ　bulky garbage／粗大垃圾／대형쓰레기
- ゴミのリサイクル　garbage recycling／垃圾的再利用／쓰레기 재활용
- ゴミの回収（かいしゅう）　garbage collection／回収／쓰레기 회수

●その他（た）

- (朝（あさ）)寝坊（ねぼう）する　to oversleep, to sleep in late／/睡懒觉／늦잠을 자다
- 犬（いぬ）の散歩（さんぽ）をする　to walk a dog／遛狗／개의 산책을 하다
- えさをやる　to feed (a dog, etc.)／喂食／먹이를 주다
- 犬の世話（せわ）をする　to take care of a dog／照顾狗／개를 돌보다

花に水をやる to water flowers／给花浇水／꽃에 물을 주다

忘れ物をする to forget something, to leave something behind／忘记东西／물건을 잊어버리다

充電する to recharge a battery／充电／충전하다

留守 away from home／看家／부재

例：母は今、留守です。

▶**留守番をする** to stay at home／看家／빈집을 지키다

身だしなみが大切 grooming/appearance is important／讲究修饰很重要／차림새가 중요

暮らす to live, to reside／生活／살다

例：彼は今、海外で暮らしている。 れい かれ いま かいがい く	
例：母は今、留守です。 れい はは いま る す

▶**一人暮らし** ひとり ぐ living alone／独自生活／독신생활

CD 06

例文
れい ぶん

①午後は用事があって、少し**外出**します。
ごご ようじ　　　 すこ がいしゅつ

②ゴミは**分別して**捨ててください。**リサイクル**できるゴミは、ここです。

③「お仕事は？」「旅行会社に**勤めて**います」
しごと　　　 りょこうがいしゃ つと

④「今週は雨の日が多いですね」「ええ。**洗濯物**が**干せ**なくて困りますね」
こんしゅう あめ ひ おお　　　　　　　　せんたくもの　 ほ　　　 こま

⑤少し疲れているようだから、**睡眠**を十分にとるようにしてください。
すこ つか　　　　　　　　　　 すいみん じゅうぶん

ドリル

つぎの（　　）に合うものを下の語から一つ選び、必要があれば形を変えて入れなさい。

1）

①朝寝坊したので、髪を（　　　）時間がなかった。
あさ ね ぼう　　　 かみ　　　 じかん

②午後から雨になったので、洗濯物が全然（　　　）ていない。
ご ご　 あめ　　　　 せんたくもの ぜんぜん

③毎日忙しいですが、元気に（　　　）ています。
まいにちいそが　　　 げんき

④こういう油の汚れは、普通の洗剤では（　　　）ない。
あぶら よご　 ふつう せんざい

かわく	暮らす	拭く	落ちる	セットする

2）

①寝るときはパジャマに（　　　）ます。

②明日、友だちが遊びに来るから、部屋を（　　　）ないといけない。
あした とも　　 あそ　 く　　　 へ や

③花に水を（　　　）のは、私の仕事です。
はな みず　　　　　 わたし しごと

④昨日は忙しくて、掃除機を（　　　）時間がなかった。
きのう いそが　　　 そうじ き　　　　 じかん

かける	片づける	着替える	干す	やる

7 電車（でんしゃ）

Trains／电车／전차

●電車（でんしゃ） Trains／电车／전철

乗り換える（のりかえる）	to change trains, to transfer／换乘／갈아타다
乗り越す（のりこす）	to ride past one's stop／坐过站／하차 역을 지나치다
乗り過ごす（のりすごす）	to ride past one's stop／坐过站／하차 역을 지나치다
乗り遅れる（のりおくれる）	to miss (the train)／没赶上车／늦어서 못 타다
席をゆずる（せきをゆずる）	to give up one's seat／让座位／자리를 양보하다
間に合う（まにあう）	to be on time／赶上／시간에 대다
～に止まる（～にとまる）	to stop at ～／停在～／～에 멈추다
鉄道（てつどう）	railroad／铁道／철도
JR	JR (Japan Railways)／JR（日本铁路集团）／제이알
～線（～せん）	～ Line／～线／～선

例（れい）：中央線（ちゅうおうせん）、地下鉄東西線（ちかてつとうざいせん）

新幹線（しんかんせん）	Shinkansen, bullet train／新干线／신칸선
地下鉄（ちかてつ）	subway／地铁／지하철
特急（とっきゅう）	limited express, special express／特快／특급
急行（きゅうこう）	express／快车／급행
快速（かいそく）	rapid, express／高速电车／쾌속
各駅停車／各駅（かくえきていしゃ）	local (train)／各站都停的慢车／각역정차
時刻表（じこくひょう）	timetable／时刻表／시간표
ダイヤ	timetable／列车时刻表／철도 운행표
乗客（じょうきゃく）	passenger／乘客／승객
車しょう	conductor／乘务员／차장
～行き（～いき）	bound for ～／开往～／～행
上り（のぼり）	upbound／上行／상행
下り（くだり）	downbound／下行／하행
終点（しゅうてん）	terminal, last stop／终点／종점
～目（～め）	～-st/-nd/-rd/-th／第～／～째

例（れい）：「池袋（いけぶくろ）はいくつ目ですか」「3つ目です」

通過する（つうかする）	to pass through／通过／통과하다
停車する（ていしゃする）	to stop／停车／정차하다
発車する（はっしゃする）	to depart／发车／발차하다
到着する（とうちゃくする）	to arrive／到达／도착하다
列車（れっしゃ）	train／列车／열차
車内（しゃない）	inside the train／车内／차내
車両（しゃりょう）	(train) car／车辆／차량
終電（しゅうでん）	last train of the day／末班车／마지막 열차
満員電車（まんいんでんしゃ）	crowded train／满员电车／만원전철
線路（せんろ）	railroad tracks／线路／선로
踏切（ふみきり）	railroad crossing／铁路口／철도 건널목
乗車券（じょうしゃけん）	train ticket／车票／승차권
片道（かたみち）	one way／单程／편도
往復（おうふく）	roundtrip／往返／왕복

●座席（ざせき） Seats／座位／좌석

指定席（していせき）	reserved seat／对号入座的座位／지정석
自由席（じゆうせき）	non-reserved seat／自由座的座位／자유석
窓側（まどがわ）	window-side／窗边一侧／창가
通路側（つうろがわ）	aisle-side／通路一侧／통로가
満席（まんせき）	all seats are taken／满座／만석

空席 empty/available seat／空座／공석

優先席 courtesy seat／优先座位／경로석

●駅 Stations／车站／역

ホーム platform／站台／홈

～番線 track no. ～／～号线／~번선

乗り場 taxi stand, bus stop／车站／승차장

切符売り場 ticket booth／售票处／표 파는 곳

通路 passageway／通路／통로

南口 South Gate／南口／남쪽 출구

類 中央口、出口、改札口、公園口、非常口 （ちゅうおう）（で）（かいさつ）（こうえん）（ひじょう）	
～番線 （ばんせん）	track no. ～／～号线／～번선

CD 07

例文

①「遅かったですね」「すみません。電車を**乗り過ごして**しまったんです」

②「11時の電車なんですが、今から出て**間に合う**でしょうか」「うーん、ぎりぎりですね」

③「**指定席**は取れましたか」「いえ。**満席**でもう取れなかったので、**自由席**で行きます」

④「昨日、家に帰らなかったんですか」「ええ。**終電**に**乗り遅れた**ので、友だちの家に泊まりました」

⑤地下鉄にお**乗り換え**の方は、**北口通路**をご利用ください。

ドリル

つぎの（　　）に合うものをａ～ｅの中から一つ選びなさい。

1）

①この電車は（　　）ですので、次の駅には止まりません。

②お荷物は（　　）に置かないで、ひざの上に置いてください。

③私が利用する駅は、快速が止まらないので（　　）に乗っています。

④この席はお年寄りやけがをしている人のための（　　）です。

a. 優先席	b. 空席	c. 座席	d. 特急	e. 各駅停車

2）

①電車で通勤しているので、3か月の（　　）を買っている。

②見本市会場に行くなら、（　　）の「国際センター前」が便利です。

③（　　）で帰りの電車の時間を確認しておきましょう。

④特急列車をご利用の場合は、（　　）のほか、特急券が必要です。

a. 時刻表	b. 乗車券	c. 定期券	d. 終点	e. 終電

8 飛行機・バス・車（ひこうき・くるま）

Airplanes, buses & cars／飞机、巴士、汽车／비행기・버스・차

●飛行機・空港（ひこうき・くうこう） Airplanes & airports／飞机、机场／비행가 공항

航空機（こうくうき）	aircraft, airplane／飞机／비행기
▶ジェット機	jet／喷气式飞机／제트기
エコノミークラス	economy class／经济舱／일반석
ビジネスクラス	business class／商务舱／비즈니스클래스
ファーストクラス	first class／头等舱／일등석
～便（びん）	_flight／～航班／~편

例：次の便、一日５便

直行便（ちょっこう）	direct flight／直达航班／직항편
経由（けいゆ）	via／经过／경유

例：バンコク経由パリ行き

入国（にゅうこく）	entering a country／入境／입국
出国（しゅっ）	leaving a country／出境／출국
免税店（めんぜいてん）	duty-free store／免税店／면세점
税関（かん）	customs／海关／세관
出迎える（でむか）	to meet (someone at the airport)／迎接／마중하다
荷物を預ける（にもつ あず）	to check in luggage／寄存行李／짐을 맡기다
ヘリコプター	helicopter／直升飞机／헬리콥터

●バス・車（くるま） Buses & cars／巴士、汽车／버스 차

路線（ろせん）	route／路线／노선
停留所（ていりゅうじょ）	stop／车站／정류소
▶バス停	
運賃（うんちん）	fare／运费／운임
高速道路（こうそくどうろ）	expressway／高速公路／고속도로
シートベルト	seatbelt／安全带／안전벨트
車道（しゃ）	road／车道／차도
歩道（ほ）	sidewalk／人行道／보도
ブレーキ	brakes／刹车／브레이크
速度（そくど）	speed／速度／속도
停車する（てい）	to stop (a vehicle)／停车／정차하다
免許（めんきょ）	license／(驾驶)执照／면허
行き先（い／ゆ さき）	destination／目的地／행선지
トラック	truck／卡车／트럭
バイク	motorcycle／摩托车／바이크
タクシーを拾う（ひろ）	get a taxi／打车／택시를 잡다
＝タクシーを捕まえる（つか）	
▶タクシーが捕まる	

●その他（た）

安全な（あんぜん）	safe／安全的／안전한
⇔危険な（きけん）	dangerous／危险的／위험한

CD 08

例文

①「いくつ目の**バス停**で降りるの？」「ちょっと待って。**路線図**を見てみる。・・・次の次だ」
②「この飛行機は**直行便**ですか」「いえ、ソウルを**経由します**」
③「市役所行きのバスはどれですか」「あそこに**停車している**バスです」
④「バスの**運賃**はいつ払いますか」「おりるときに、運賃箱に入れてください」
⑤バスに乗る時、**整理券**を取ってください。

ドリル

1）つぎの（　　　）に合うものを下の語から一つ選び、必要があれば形を変えて入れなさい。

①天気が悪かったため、飛行機は30分遅れて空港に（　　　）した。
②その辺りは車の通りが少なくて、なかなかタクシーが（　　　）なかった。
③飛行機に乗るとき、一人25キロまでは無料で荷物を（　　　）ことができる。
④空港に着いたら、地元の子どもたちが（　　　）てくれた。

停車する	出迎える	預ける	到着する	捕まる

2）つぎの（　　　）に合うものをa～eの中から一つ選びなさい。

①（　　　）を歩くと危ないよ。ちゃんとこっちを歩いて。
②（　　　）によって乗り場が全然違うので、気をつけてください。
③乗り換えないといけないので、次の（　　　）で降りましょう。
④田舎に引っ越した友人は、周りに何もなくて不便なので、運転（　　　）をとることにした。

a. 行き先	b. バス停	c. 車道	d. 税関	e. 免許

9 家(いえ)

Homes／房子／집

●家(いえ) Homes／房子／집

リビング〔居間(いま)〕	living room／起居室／거실
ダイニング〔食堂(しょくどう)〕	dining room／餐厅／다이닝
▶食卓(たく)	dining table／餐桌／→식탁
キッチン〔台所(だいどころ)〕	kitchen／厨房／부엌
天井(てんじょう)	ceiling／天花板／천장
床(ゆか)	floor／地板／마루
▶フローリング	flooring／木地板／마루판자
廊下(ろうか)	hallway／走廊／복도
柱(はしら)	pillar, post／柱子／기둥
壁(かべ)	wall／墙壁／벽
ベランダ	balcony, porch／阳台／베란다
和室(わしつ)	Japanese-style room／和室／다다미방
たたみ	tatami [straw mat]／榻榻米／다다미방
マンション	condominium, apartment (house)／公寓／맨션
ワンルーム	studio apartment／单间／원룸
オートロック	automatic lock／自动锁／오토로크

●家具(かぐ)・家電製品(かでんせいひん) Furniture & appliances／家具、家电／가구 가전제품

扇風機(せんぷうき)	electric fan／电扇／선풍기
エアコン	air conditioner／空调／에어컨
ドライヤー	dryer／吹风机／드라이어
ソファー	sofa／沙发／소파
カーペット	carpet／地毯／카펫
じゅうたん	carpet, rug／地毯／융단
毛布(もうふ)	blanket／毛毯／담요
コンセント	(electrical) outlet／插座／콘센트

●家庭用品(かていようひん) Household items／家庭用品／가전제품

タオル	towel／毛巾／타올
スリッパ	slippers／拖鞋／슬리퍼
枕(まくら)	pillow／枕头／베게
ティッシュ(ペーパー)	tissue paper／纸巾／티슈

●その他(た)

大家(おおや)	landlord／房东／집주인
飾る(かざる)(花(はな)/絵(え)を)	to decorate (with something)／装饰／장식하다
かかる(絵/時計(とけい)が)	to be hung (on a wall)／挂着／걸리다

CD 09

例文

①こんなぜいたくなものが、うちの**食卓**に出ることはありません。

②「この**ドライヤー**は海外でも使えますか」「**コンセント**の形が同じなら使えますよ」

③**ベランダ**から富士山が見えるんですか？　いいですねえ。

④山田さんは花が大好きで、家を訪ねると、いつも**リビング**や玄関に飾ってあります。

⑤うちは古い**マンション**で**オートロック**じゃないので、直接ここまで来てください。

ドリル

つぎの（　　　）に合うものをａ～ｅの中から一つ選びなさい。

1）

①昨日はとても暑かったので、一日中、（　　　）をつけていた。

②（　　　）が広いと、料理がしやすくていいですね。

③家で犬を飼っているので、床に傷がつかないよう、（　　　）を敷いています。

④このマンションは、すべて（　　　）です。

a. カーペット　b. キッチン　c. エアコン　d. ワンルーム　e. ダイニング

2）

①食事の後はたいてい、みんなが（　　　）に集まって、テレビを見ます。

②引っ越しをしたとき、いらなくなった（　　　）を友達にあげました。

③部屋に棚がないので、荷物はほとんど（　　　）の上に置いています。

④４月だけどまだ寒いので、（　　　）をかけて寝ています。

a. 家具　b. 毛布　c. 天井　d. 床　e. 居間

10 街（まち）

Towns／街／거리

●店など（みせ）

stores／商店等／가게 등

書店〔本屋〕（しょてん ほんや）	bookstore／书店／서점
雑貨屋（ざっかや）	sundries shop／杂货店／잡화점
スポーツ用品店（ようひん）	sporting goods store／体育用品店／스포츠 용품점
美容院（びよういん）	beauty salon／美容院／미용원
カフェ	café／西餐馆／카페
薬屋（くすりや）	drugstore／药店／약방
薬局（やっきょく）	pharmacy／（医院的）药房／약국

※薬を扱う（あつか）店。特に（とく）、病院（びょういん）が指示（しじ）する薬を出す（だ）ところ。
Shop that sells medicine, particularly one that fills prescriptions／卖药的店。特别指的是根据医院的处方卖药的地方。/ 약을 취급하는 가게. 특히 병원이 지시하는 약을 내주는 곳.

ドラッグストア	drugstore／（兼售健康及美容相关商品的）药店／드러그스토어

※健康（けんこう）や美容などに関（かん）する商品（しょうひん）を豊富（ほうふ）に扱う店。
Shop that sells various products, especially health and cosmetic items／贩卖多种有关健康或者美容方面产品的商店。／건강이나 미용 등에 관한 상품을 풍부하게 취급하는 가게.

不動産屋（ふどうさん）	real estate agency／房地产中介／공인중개사
牛丼屋（ぎゅうどん）	gyudon [bowl of rice topped with beef] restaurant／牛肉盖饭店／소고기덮밥
イタリアン（レストラン）	Italian restaurant／意大利餐馆／이탈리안 레스토랑
中華料理店（ちゅうかりょうり）	Chinese restaurant／中餐馆／중화요리점
ファーストフード店	fast food restaurant／快餐店／패스트푸드점
100円（えん）ショップ	100-yen shop／100元店／100엔 가게
医院（い）	hospital／医院／의원
クリニック	clinic／诊所／클리닉
商店（しょう）	store／商店／상점
家電量販店（かでんりょうはん）	discount electronics store／家电大卖场／가전양판점
映画館（えいがかん）	movie theater／电影院／영화관
劇場（げきじょう）	theater／剧场／극장
競技場（きょうぎ）〔スタジアム〕	stadium, arena／竞技场／경기장
ATM	ATM (automated teller machine)／ATM／현금지급기
ポスト	mailbox／邮筒／포스트
商店街（がい）	shopping district／商店街／상점가

類 住宅街（じゅうたく）・学生街（がくせい）・オフィス街・地下街（ちか）

駅ビル（えき）	station building／车站大厦／역 빌딩

●街の風景・様子（まち ふうけい ようす）

Cityscape／街道的风景、样子／거리의 풍경 모습

駅前（えきまえ）	area in front of a train station／车站前／역앞
広場（ひろば）	plaza／广场／광장
大通り（おおどお）	main street／大马路／큰길
空き地（あ ち）	vacant lot／空地／공터
看板（かんばん）	sign／招牌／간판
広告（こうこく）	ad／广告／광고
ベンチ	bench／长椅／벤치
活気（かっき）がある	to be lively／有活力／활기가 있다
にぎわう	to bustle／热闹／번화하다
人通り（ひとどお）が多い	to be crowded／来往行人多／행인이 많다
通行人（つうこうにん）	passer-by／行人／통행인
人ごみ	crowd／人群／인파

混雑 congestion／混杂／혼잡

雰囲気がいい to have a nice atmosphere／气氛好／분위기가 있다

●その他

ぶらぶらする to stroll around／溜达／한가히 거닐다

のぞく(店を) to peek inside／看一看／들여다보다

見かける(人を) to see, to come across／看见／보다

地元 local／当地／그 고장

CD 10

例文

①昨日、**駅前**で先生を見かけました。ご家族とご一緒でした。
②ずっと**人ごみ**の中を歩いていたから、すごく疲れた。早く家に帰りたい。
③「やっぱり土日は**人通りが多い**ですね」「ええ。特にこの辺はにぎやかです」
④「この近くには銀行はないですよね」「ATM なら、すぐそこのコンビニにありますよ」
⑤この辺りは**オフィス街**なので、お昼時はサラリーマンでいっぱいになる。

ドリル

1）つぎの（　　）に合うものを下の語から一つ選び、必要があれば形を変えて入れなさい。

①「変わったお店！　ちょっと(　　　　　)みていい？」「いいよ」
②この辺は大きな公園はあるし、おしゃれなお店は多いし、(　　　　　)ですね。
③今日は近くの神社で祭りがあるので、たくさんの人で(　　　　　)ている。
④「昨日は何をしていましたか」「妹と銀座のデパートに行って、(　　　　　)いました」

にぎわう	さびしい	のぞく	雰囲気がいい	ぶらぶらする

2）つぎの（　　）に合うものをａ～ｅの中から一つ選びなさい。

①このビルには、洋服の店や本屋、レストラン、それに(　　　)もある。
②電気製品を買うときは、(　　　)をいくつか見て、一番安い店で買います。
③この辺りは(　　　)だから、安い店が多いんです。
④「ここの(　　　)は活気がありますね」「ええ。特に夕方はたくさんの買い物客でにぎやかになりますよ」

a. 家電量販店	b. 学生街	c. 映画館	d. 商店街	e. 競技場

11 お金・売る・買う
かね　う　か

Money, selling & buying／金钱・卖・买／돈· 팔다 사다

●お金（かね） Money／金钱／돈

お札〔紙幣〕（さつ しへい）	paper currency, bill／纸币／지폐
～円札（千円札・五千円札・一万円札）（えん せん ご いちまん）	
硬貨〔コイン〕（こうか）	coin／金属铸币／硬币 / 동전 / 코인
～円玉（一円玉・五円玉・十円玉・五十円玉・百円玉・五百円玉）（だま じゅう ひゃく）	
▶小銭（こぜに）	change／零钱／잔돈
現金〔キャッシュ〕（げんきん）	cash／现金／현금
▶クレジットカード	credit card／信用卡／신용카트
※短く、「カード」ともいう。（みじか）	
両替する（りょうがえ）	to change/exchange (money)／兑换／잔돈을 바꾸다
お金を崩す（かね くず）	to change/break money／换零钱／잔돈으로 바꾸다
お金をおろす	to withdraw money／取钱／돈을 찾다
振り込む（ふ こ）	to pay into a bank account／汇款／계좌에 입금하다
お金を節約する（せつやく）	to save money／节约钱／돈을 절약하다
お金を貯める（た）〔貯金する〕（ちょ）	to save up money／存钱／돈을 저금하다

●売る・買う（う か） Selling & buying／卖・买／팔다 사다

売れる	to be sold／畅销／팔리다
売り切れる（き）	to be sold out／卖完了／다 팔리다
▶売り切れ	sold out／售光了／매진
売上（うりあげ）	sales／销售金额／매상
会計（かいけい）	accounting／付款、结账／회계
支払う（し はら）	to pay／支付／지급하다
レシート	receipt／收据／영수증
市場（いちば）	market／市场／시장
フリーマーケット〔フリマ〕	flea market／跳蚤市场／벼룩시장
値段（ねだん）	price／价格／가격
金額（きんがく）	(monetary) amount／金额／금액
(～円)負ける（えん ま）	to discount ／便宜(多少钱)／지다

●セール Sales／甩卖／세일

セール〔バーゲン〕	sale／减价出售／세일
▶特売（とくばい）	special bargain／特卖／특매
セール価格（かかく）	sales price／甩货价／세일가격
2割引（わりびき）＝20%オフ	20% discount／八折／20퍼센트 할인
定価の半額（ていか はんがく）	half of the list price／吊牌价打五折／정가의 반액
行列に並ぶ（ぎょうれつ なら）	to wait in line／排队／줄에 서다

●その他（た）

税金（ぜいきん）	tax／税金／세금
消費税を含む（しょうひ ふく）	to include consumption tax／含消费税／소비세를 포함하다
物価が高い（ぶっか たか）	prices are expensive／物价高／물가가 비싸다
ポイントカード	point card／积分卡／포인트카드
クーポン	coupon／优惠券／쿠폰
得をする（とく）	to profit from／划算／이익을 보다
⇔損をする（そん）	to suffer a loss／损失／손해보다
借金を返す（しゃっきん かえ）	to repay a debt／还钱／빚을 갚다

CD 11

例文

①「この自動販売機は**お札**が使えますか」「いえ、**百円玉**と**十円玉**しか使えません」
じどうはんばいき　　　さつ　つか　　　　　　　　　ひゃくえんだま　じゅうえんだま　　　つか

②「あの**行列**は何ですか」「今日から**バーゲン**が始まったんですよ」
ぎょうれつ　なん　　　　　きょう　　　　　　　　はじ

③「この**値段**には**消費税**が含まれていますか」「はい、含まれています」
ねだん　　しょうひぜい　ふく　　　　　　　　　　　ふく

④「お**支払い**方法はどうなさいますか」「**カード**でお願いします」
しはら　ほうほう　　　　　　　　　　　　　　　　ねが

⑤あそこの店は、たくさん買うと**負けて**くれるんです。
みせ　　　　　　か　　　ま

11
お金・買う・
かね　か
売る
う

ドリル

つぎの（　　）に合うものをａ～ｅの中から一つ選びなさい。

１）

①バスや電車の子どもの運賃は、だいたい大人の（　　）です。
でんしゃ　こ　　　うんちん　　　　　　　おとな

②何があるかわからないから、（　　）は捨てずに持っておいたほうがいいよ。
③駅前のスーパーは毎月１日に（　　）をしている。
えきまえ　　　　　　まいつきついたち

④先月私が買った服がバーゲンで 50%（　　）になっていて、くやしかった。
せんげつわたし　か　ふく

a. レシート	b. クレジットカード	c. オフ	d. 半額	e. 特売
はんがく	とくばい

２）

①このカップが買いたいんだけど、（　　）がわからない。いくらだろう？
②この市場では（　　）しか使えないと思うよ。
③（　　）して、お昼は弁当を持っていくことにしました。
④世界一周旅行に行くために、毎月、少しずつ（　　）をしています。
せかいいっしゅうりょこう　い　　　　　まいつき　すこ

a. 貯金	b. 値段	c. 物価	d. 現金	e. 節約
ちょきん	ねだん	ぶっか	げんきん	せつやく

12 服・靴
ふく　くつ

Clothes & shoes／衣服・鞋／옷 신발

●服・靴 (ふく　くつ) Clothes & shoes／衣服・鞋／옷 신발

ワンピース dress／连衣裙／원피스

ブラウス blouse／上衣／블라우스

パンツ undershorts, panties, pants／短裤／바지

ジーンズ jeans／牛仔裤／청바지

マフラー scarf／围巾／목도리

手袋（てぶくろ） gloves／手套／장갑

ハイヒール high heels／高跟鞋／하이힐

サンダル sandals／凉鞋／샌들

スニーカー sneakers／运动鞋／운동화

イヤリング earrings／耳饰、耳环／귀걸이

ピアス pierced earrings／（扎的）耳环、耳坠子／피어스

襟（えり） collar／衣领／옷깃

長袖（ながそで） long-sleeved／长袖／긴소매

半袖（はん） short-sleeved／半袖／반소매

柄（がら） pattern／花样、图案／무늬

模様（もよう） pattern／花纹、花样／모양

デザイン design／设计／디자인

和服（わ） Japanese-style clothing／和服／일본 전통 의상

●【服などの表現】(ふく　ひょうげん)

服	着る	ぬぐ
シャツ	着る	ぬぐ
ズボン	はく	ぬぐ
スカート	はく	ぬぐ
くつ	はく	ぬぐ
ネクタイ	する／しめる*1	はずす*4／とる
マフラー	する／まく*2	はずす／とる
手ぶくろ	する／つける*3／はめる	はずす／とる
ゆびわ	する／つける／はめる	はずす／とる
時計	する／つける／はめる	はずす／とる
ネックレス	つける	はずす／とる
めがね	かける	はずす／とる
マスク	つける	はずす／とる

***1 しめる** to fasten, to tie, to wear (a belt, etc.)／系上／잠그다

***2 巻く**（ま） to wrap／围上／감다

***3 はめる** to wear (a ring, etc.)／戴上／끼다

***4 はずす** to take off, to undo／取下／풀다, 떼다

●評価など (ひょうか) Appraisal／评价等／평가 등

派手な（はで） flashy／鲜艳的／화려한

地味な（じみ） plain／朴素的／수수한

シンプルな simple／单调的／단순한

おしゃれな stylish／时髦的／멋스러운

上品な（じょうひん） elegant／高雅的／품위있는

サイズ size／尺寸／크기

例（れい）：サイズが合（あ）わない、別（べつ）のサイズ

（服が）きつい　tight／紧绷的／꼭 끼다

（服が）ゆるい　loose／宽松的／헐렁하다

▶**ぶかぶか**　baggy／肥大的／헐렁헐렁

（服が）気に入る　to like／满意／마음에 들다

（人に）似合う　to look good on (someone)／适合／어울리다

流行る　to be in fashion／流行／유행하다

例：流行りの髪型

popular hairstyle／流行的发型／유행하는 머리 모양

試着する　to try on／试穿／시착하다

例：試食する、試飲する、ＣＤを試聴する

CD 12

例文

①「Ａさんは仕事に行くとき、ネクタイを**しめますか**」「はい。会社の規則なんですよ」

②〈試着室で〉「お客様、いかがですか」「ちょっとウエストが**きつい**ですね」

③「あの方が鈴木部長の奥様ですよ」「とても**上品な**方ですね」

④「見て。新しい服、買ったの」「うーん、ちょっと**派手**じゃない？」

⑤このかばんは**デザイン**がいいし、荷物もたくさん入るから、**気に入っています**。

ドリル

1）つぎの（　　　）に合うものを下の語から一つ選び、必要があれば形を変えて入れなさい。

①あの歌手はいつもサングラスを（　　　　　）ているので、どんな顔か、わからない。

②あの人は指輪を（　　　　　）てないから、独身じゃないですか。

③食事をする時は、帽子を（　　　　　）たほうがいい。

④朝、寒かったので、マフラーを（　　　　　）て出かけたら、暑くなってきた。

巻く	はめる	しめる	かける	とる

2）つぎの（　　　）に合うものをａ～ｅの中から一つ選びなさい。

①この服は結婚式に着ていくには、ちょっと（　　　）だ。

②これはどうですか。落ち着いた感じの、（　　　）な柄だと思いますけど。

③ダイエットをして 10 キロやせたら、パンツが（　　　）になった。

④「どういったシャツをお探しですか」「柄があまりない、（　　　）なデザインのものがいいんですが」

a. 派手	b. 上品	c. 地味	d. ぶかぶか	e. シンプル

13 色(いろ)・形(かたち)

Colors & shapes／颜色、形状／색 형

●基本(きほん)の色(いろ)　Basic colors／基本颜色／기본색

黒(くろ)	ブラック	black／黑／검정	黒いくつ
白(しろ)	ホワイト	white／白／하양	白い犬(いぬ)
赤(あか)	レッド	red／红／빨강	赤いバラ
青(あお)	ブルー	blue／蓝／파랑	青い海(うみ)
黄色(きいろ)	イエロー	yellow／黄色／노란색	黄色い看板(かんばん)
緑(みどり)（色）	グリーン	green／绿(色)／녹색	緑（色）のカーテン
ピンク（色）	ピンク	pink／粉(色)／분홍색	ピンク（色）のスカート
茶色(ちゃ)	ブラウン	brown／茶色／갈색	茶色い髪(かみ)
灰色(はい)	グレー	gray／灰色／회색	グレーのスーツ
オレンジ（色）	オレンジ	orange／橙(色)／주홍색	オレンジ（色）のバッグ
紫(むらさき)（色）	パープル	purple／紫(色)／보라색	紫（色）の花(はな)
金(きん)（色）	ゴールド	gold／金(色)／금색	金（色）の紙(かみ)
銀(ぎん)（色）	シルバー	silver／银(色)／은색	銀色のケース

●【真(ま)っ～】

「真～」は「まさに、本当(ほんとう)に」の意味(いみ)。 真～ means "very" or "really"／「真～」的意思是"确实是、真的是"。／"진~"은 "확실히, 정말로"의 의미.

例：真夜中、真っ赤な車

以下(いか)は慣用句(かんようく)として、ほかと違(ちが)う意味を持(も)つ。 The following represent idiomatic usages. ／以下作为惯用句，具有和其他不同的含义。／아래는 관용구로서 다른 것과 다른 의미가 있다.

●**海(うみ)に行(い)って、真っ黒(くろ)になった。** I went to the beach and got burned to a crisp.／去海边，晒得黢黑。／바다에 가서 새까매졌다.

●**真っ赤(か)な顔(かお)をして怒(おこ)った。** He turned beet red with anger. ／气得满脸通红。／새빨간 얼굴을 하고 화를 냈다.

●**真っ青(さお)な顔をして倒(たお)れた。** She turned white as a ghost and fainted. ／脸色苍白地倒下了。／ 새파란 얼굴을 하고 쓰러졌다.

●柄(がら)・模様(もよう)　Patterns& pattern／花样、花纹／무늬 모양

柄　Patterns／花样／무늬

模様	pattern／花纹／모양
無地(むじ)	plain, solid (color)／清一色／무지
派手な(はで)	flashy／艳丽的／화려한
地味な(じみ)	plain／朴素的／검소한
シンプルな	simple／简单的／단순한

●柄(がら)

花柄(はな)　**チェック**　**ストライプ**　**ボーダー**　**水玉**(みずたま)　**無地**(むじ)

●形(かたち) Shapes／形状／형태

丸・丸い(まる)
circle,round／圆形、圆的／동그라마 동그렇다

四角・四角い(しかく)
square, square(-shaped)／方形、四方的／사각· 사각지다

三角(さん)
triangle／三角／삼각

正方形(せいほうけい)
square／正方形／정삼각형

長方形(ちょう)
rectangle／长方形／직사각형

直径(ちょっけい)
diameter／直径／지름

半径(はん)
radius／半径／반지름

直線(ちょくせん)
straight line／直线／직선

直角(ちょっかく)
right angle／直角／직각

●長(なが)い・短(みじか)い

厚(あつ)い	thick／厚的／두껍다	厚め	厚さ
薄(うす)い	thin／薄的／얇다	薄め	薄さ
長(なが)い	long／长的／길다	長め	長さ
短(みじか)い	short／短的／짧다	短め	短さ
太(ふと)い	thick, large／粗的／굵다	太め	太さ
細(ほそ)い	slender, thin／细的／가늘다	細め	細さ
細長い	long and slender／细长的／가늘고 길다	(細長め)	(細長さ)
広(ひろ)い	wide, spacious／宽广的／넓다	広め	広さ
狭(せま)い	narrow／狭窄的／좁다	(狭め)	狭さ

※「～め」は「少(すこ)し～い」という意味(いみ)。

※「～さ」は「～ということ」も表(あらわ)す。

※(　)はあまり使(つか)われない。

●その他

カラー　color／彩色／색

白黒(しろくろ)　black and white／黑白／흑백

CD 13

例文

①「顔が**真っ青**だよ。もう帰ったほうがいいんじゃない？」「うん、そうする」
②〈店で〉「こちらのシャツは**無地**ですから、合わせやすいですよ」「でも、ちょっと**地味**ですね」
③〈店で〉「うーん、ちょっと**派手**すぎるかなあ」「では、こちらの**花柄**は、いかがでしょうか。」
④「どんなカップがいい？」「絵とか**模様**とかないほうがいいなあ。**シンプルな**デザインがいい」
⑤「このテーブル、**長**さがちょうどよくない？」「でも、**丸い**ほうがおしゃれだと思う」

ドリル

つぎの（　　）に合うものをａ～ｅの中から一つ選びなさい。

1）

①「林さん、どうしたんですか、（　　）な顔をして」「娘さんが事故にあったようなんです」
②（　　）よりも何か柄が入っているほうが細く見えます。
③あのオレンジの花柄のワンピースは、ちょっと（　　）なんじゃない？
④彼女は大勢の前で話すのが苦手で、すぐ顔が（　　）になるそうです。

a. 派手	b. 地味	c. 無地	d. 真っ赤	e. 真っ青

2）

①こんなに（　　）本、明日までには読めないよ。
②このジャケット、（　　）のに暖かいね。これ、買おうかな。
③おじぎをするときは、体をこんなふうに（　　）に曲げないでください。
④ここのラーメン、めんが（　　）ね。普通の倍くらいある。

a. 直角	b. 直線	c. 薄い	d. 厚い	e. 太い

14 数・量（かず・りょう）

Numbers & quantity／数・量／수 양

●数・量（かず・りょう） Numbers & quantity／数・量／수 양

数を数える（かぞ） to count (the number of)／数数／수를 세다

時間を計る（じかん・はか） to time／计算时间／시간을 재다

長さを測る（なが・はか） to measure length／计算长度／길이를 재다

重さを量る（おも・はか） to measure weight／称重量／무게를 재다

増える（ふ） to increase／增加／늘다

⇔減る（へ）

増やす to increase (something)／增加／늘리다

⇔減らす

増加する（ぞうか） to increase／增加／증가하다

⇔減少する（げんしょう）

激増する（げき） to increase rapidly／剧增／급증하다

⇔激減する（げん）

合計（ごうけい） total／合计／합계

平均（へいきん） average／平均／평균

倍（ばい） ~ times, ~ fold, double／倍／배

例（れい）：2倍、1.5倍

～以上（いじょう） more than ~ , ~ and greater／～以上／～이상

～以下（か） less than ~ , ~ and less／～以下／～이하

～以内（ない） within ~ , in under ~ ／～以内／～이내

例：2時間以内に着く（つ）

～未満（みまん） under ~ , less than ~ ／未满～／～미만

例：18歳未満（さい）

～ずつ ~ each, ~ per／每～／～씩

例：1人ずつ面接する（ひとり・めんせつ）

●割合が多いこと（わりあい・おお） For the most part／比例多／비율이 많은 것

ほとんどの国（くに） nearly all countries／大多数国家／거의 모든 나라

ほぼ完成した。（かんせい） It's almost finished.／大都完成了／거의 완성했다.

大体わかった。（だいたい） I understand it more or less.／大致明白了／대체로 알았다.

だいぶ〔だいぶん〕慣れてきた。（な） I've just about got the hang of it.／大都习惯了／꽤 익숙해졌다.

島の大部分（しま・ぶぶん） most of the island／岛屿的大部分／섬의 대부분

●単位（たんい） Units／单位／단위

トン(t) ton／公吨／톤

キロ(k)／キログラム(kg) kilogram／公斤／킬로

グラム(g) gram／公克／그램

メートル(m) meter／公尺／미터

センチ(㎝) centimeter／公分／센치

ミリ(㎜) millimeter／公釐／밀리

リットル(l) liter／公升／리터

ミリリットル(ml) milliliter／毫升／밀리리터

分（ふん／ぷん） minute／分／분

秒（びょう） second／秒／초

パーセント(%) percent／百分比／퍼센트

割（わり） rate, percent／比例、成／비율

※1割＝10%

CD 14

例文

①「今日の発表会に来た参加者の数を**数えて**ください」「わかりました。」

②司会：では、だれか時間を**計る**人を決めて、今から５分間、グループで話してください。

③「このスーツケース、何**キロ**ぐらいかなあ」「体重計で**量って**みたら？」

④〈案内〉３歳**未満**のお子様は、入場が無料になっております。

⑤「新しい会社はどうですか」「はい、**だいぶ**慣れてきました」

ドリル

1）つぎの（　　　）に合うものをａ～ｅの中から一つ選びなさい。

①もう時間がない。森さん、悪いんだけど、１時間（　　　）でこの資料をまとめてくれない？

②今日のパーティーでは、一人（　　　）自己紹介をするそうです。

③ケーキを買いに行ったら、（　　　）売り切れていて、買いたいものがなかった。

④今年のモーターショーには、4,000 人（　　　）の人が訪れたそうだ。

a. 以上	b. 以内	c. 合計	d. ずつ	e. ほとんど

2）つぎの（　　　）に合うものを下の語から一つ選び、必要があれば形を変えて入れなさい。

①３歳の娘は、最近、指を使って数を（　　　　　）られるようになった。

②A社は、今後３年間で従業員を 1,000 人（　　　　　）計画を発表した。

③最近、体重を（　　　　　）いないので、何キロなのか、わからない。

④郊外のショッピングセンターの客の数が（　　　　　）につれて、商店街の客が減ってきている。

量る	数える	減る	減らす	増える

15 趣味・活動（しゅみ かつどう）

Hobbies & activities／兴趣・活动／취미 활동

●スポーツ・運動（うんどう）　Sports & exercise／运动／스포츠·운동

スポーツジム／クラブ	gym, health club／运动俱乐部／스포츠 짐
水泳（すいえい）	swimming／游泳／수영
マラソン	marathon, long-distance race／马拉松／마라톤
ジョギング	jogging／慢跑／조깅
登山（とざん）〔山登り（やまのぼり）〕	mountain climbing／登山／등산
ハイキング	hiking／郊游／하이킹
釣り（つり）	fishing／钓鱼／낚시
キャンプ	camping／露营／캠프
サイクリング	cycling／自行车旅行／사이클링
ボウリング	bowling／保龄球／볼링
野球（やきゅう）	baseball／棒球／야구
卓球（たっきゅう）	table tennis／乒乓球／탁구
柔道（じゅうどう）	judo／柔道／유도
空手（からて）	karate／空手道／가라테

●音楽・絵（おんがく・え）　Music & paintings／音乐・绘画／음악·그림

歌を歌う（うた）	to sing a song／唱歌／노래를 부르다
踊る（おど）	to dance／跳舞／춤추다
▶踊り〔ダンス〕	dance／跳舞／춤
カラオケ	karaoke／卡拉ok／가라오케
演奏する（えんそう）〔弾く（ひ）〕	to perform／演奏／연주하다
▶楽器（がっき）を弾く	to play an instrument／弹奏乐器／악기를 치다

ピアノ piano／ギター guitar／バイオリン violin

▶音楽を聴く（き）	to listen to music／听音乐／음악을 듣다

ジャズ Jazz／ロック Rock／ポップス Pops／クラシック Classic

コンサート	concert／音乐会／콘서트
ライブ	live concert／现场音乐会／라이브
美術館（びじゅつかん）	art museum／美术馆／미술관
博物館（はくぶつ）	museum ／博物馆／박물관

●本・映画（ほん・えいが）　Books & films／书・电影／책 영화

読書（どくしょ）	reading／読書／독서
小説（しょうせつ）	novel／小説／소설
雑誌（ざっし）	magazine／雑誌／잡지
漫画（まんが）	manga, comic／漫画／만화
アニメ	animation／アニメ／만화영화

●旅行・活動（りょこう・かつどう）　Travel & activities／旅行・活动／여행 활동

旅館（かん）に泊（と）まる	to stay at a Japanese-style inn／住旅馆／여관에 묵다
温泉（おんせん）	hot spring, spa／温泉／온천
観光（かんこう）(をする)	sightseeing, tourism／观光／관광
見物（けんぶつ）(をする)	sightseeing／参观／구경
クラブ	club／俱乐部／클럽
▶サークル	circle, club／俱乐部、同好会／동아리
コンクールに出場（しゅつじょう）する	to participate in a contest／参加比赛／콩쿠르에 출장하다
ボランティア	volunteer／志愿者／볼런티어

●その他

料理	cooking／料理、菜／요리
おしゃれ	fashion, style／时髦的／멋을 부림
ペットを飼う	to keep a pet／饲养宠物／애완동물을 기르다
作品	(art, literary, etc.) work／作品／작품
プロ	pro／职业的／프로
アマチュア	amateur／业余的／아마추어
選手	athlete, player／选手／선수
チーム	team／队伍／팀
応援する	to cheer for／支持／응원하다
ファン	fan／球迷／팬

CD 15

例文

①「趣味は？」「**ジム**に行って、体を動かすことかな。人間関係も広がっていいよ。」

②「フラメンコを習ってるの？」「ええ。来月**コンクール**に出るから、今日もこれから練習です」

③「ねえ、今度、子どもと遊ぶ**ボランティア**に参加してみない？」「私、子ども、苦手なのよ」

④〈案内〉市では、外国語・パソコン・料理・ダンス・**水泳**など、さまざまな教室を開いています。

⑤〈旅行の説明〉今回泊まる**旅館**は**温泉**付きで、中でカラオケやボウリングを楽しむこともできます。

ドリル

つぎの（　　）に合うものをａ～ｅの中から一つ選びなさい。

1）

①彼女はとても（　　　）で、毎日、雑誌に出ているような服を着ている。

②カルロスさんはサッカーが好きでしたよね。どこのチームを（　　　）しているんですか。

③ほかの人の迷惑になりますから、（　　　）中は静かにしてください。

④私達はもう少し市内を（　　　）してから、ホテルに戻ります。

a. 演奏	b. 踊り	c. 応援	d. おしゃれ	e. 観光

2）

①なかなか手に入らないチケットが取れた。今から（　　　）が楽しみだ！

②この頃、（　　　）を飼う一人暮らしの老人が増えているようだ。

③今度、みんなで高尾山に（　　　）に行きませんか。

④田中さんの入っている（　　　）って、どういう活動をしているの？

a. ペット	b. ハイキング	c. バイオリン	d. サークル	e. コンサート

第1回 実戦練習(じっせんれんしゅう)

問題1 （　　）に入れるのに最もよいものを、１・２・３・４から一つえらびなさい。

① この辺(あた)りは道が(　　) ので、車で通るときは注意しなければならない。

1　細長い　　2　薄(うす)い　　3　やさしい　　4　狭い

② 子供のころは、(　　)、外国で暮(く)らしたいと思っていた。

1　来週　　2　将来(しょうらい)　　3　現在　　4　来月

③ 何度洗っても、服に付いた汚(よご)れが(　　) ない。

1　なくなら　　2　直ら　　3　落ち　　4　減ら

④ 14 時発、のぞみ 10 号東京行きは、3 番（　　）から出発いたします。

1　サークル　　2　ホーム　　3　カラー　　4　セール

⑤ あの交差点でタクシーを(　　)。

1　拾(ひろ)おう　　2　取ろう　　3　持とう　　4　つかもう

⑥ 猫(ねこ)を(　　) マンションを探している。

1　暮(く)らせる　　2　持てる　　3　住める　　4　飼(か)える

⑦ あの美術館のロビーの(　　) には、とても大きな絵がかけられている。

1　天井(てんじょう)　　2　床(ゆか)　　3　壁(かべ)　　4　窓(まど)

⑧ 彼はりんごの皮を(　　) ないで、そのまま食べる。

1　むか　　2　切ら　　3　噛(か)ま　　4　刻(きざ)ま

⑨ この情報は、知らなかったら(　　) をする。

1　不便(ふべん)　　2　複雑(ふくざつ)　　3　損(そん)　　4　不運(ふうん)

⑩ 朝早く電話がかかって来て、目が(　　)。

1　立った　　2　起きた　　3　開いた　　4　覚めた

問題２　＿＿＿に意味が最も近いものを、１・２・３・４から一つえらびなさい。

① となりの家は、昼間に行くといつも留守だ。

1　寝ている　　2　いない　　3　静かだ　　4　真っ暗だ

② このテレビには、たくさんのサイズがある。

1　模様　　2　色　　3　重さ　　4　大きさ

③ この千円札を崩していただけませんか。

1　節約して　　2　勘定して　　3　両替して　　4　会計して

④ 姉のスカートを借りたが、ゆるかったので、はかなかった。

1　大きかった　　2　細かった　　3　長かった　　4　汚かった

問題３　つぎのことばの使い方として最もよいものを、一つえらびなさい。

① ぬるい

1　このお茶は、ぬるくておいしい。

2　熱があったので、薬を飲んで寝たら、すぐにぬるくなった。

3　昨日はぬるかったので、クーラーをつけなかった。

4　お風呂がぬるいので、もう少しわかそう。

② だいぶ

1　先生の話は難しくて、だいぶわからなかった。

2　この会社の社員は、だいぶ女性だ。

3　新しい仕事にも、だいぶ慣れてきた。

4　明日のサッカーの試合は、だいぶＡチームが勝つだろう。

③ 温まる

1　料理が冷めたので、電子レンジで温まろう。

2　お風呂に入ると、体が温まる。

3　風邪を引いたときは、首にスカーフなどを巻いて温まるといいそうだ。

4　今日は寒いので、寝る前に寝室を温まっておこう。

16 郵便(ゆうびん)・宅配(たくはい)

Mail & home delivery／邮政•宅急便(送货上门服务)／우편•택배

●手紙(てがみ)・はがき

Letters & postcards／信•明信片／편지•엽서

はがきを出(だ)す	to mail a postcard／邮寄明信片／엽서를 부치다
▶絵(え)はがき	picture postcard／明信片／그림엽서
80円切手(えんきって)を貼(は)る	affix an 80-yen stamp／贴80日元的邮票／80엔 우표를 바르다
封筒(ふうとう)に入(い)れる	put in an envelope／放入信封内／봉투에 넣다
▶返信用封筒(へんしんようふうとう)	self-addressed stamped envelope／回信用的信封／반신용봉투
写真(しゃしん)を同封(どうふう)する	enclose photos／内附照片／사진을 동봉하다
年賀状(ねんがじょう)	New Year's greeting card／贺年片／연하장
便(びん)せん	stationary, writing paper／信笺纸／편지지

●～を記入(きにゅう)する

Filling out／填写～／~을 써 넣다

あて先(さき)	destination, (receiving) address／收信地址／받는 사람
お届(とど)け先	destination, (receiving) address／收件人，投递处／보내는 사람
郵便番号(ゆうびんばんごう)	postal code／邮政编码／우편번호
住所(じゅうしょ)	address／住址／주소
氏名(しめい)	name／姓名／이름
▶用紙(ようし)に記入(きにゅう)する	to fill out a form／填入规定用纸／용지에 써넣다

●方法(ほうほう)

Way／如何／방법

普通郵便(ふつうゆうびん)	regular mail／平信／우편번호
速達(そくたつ)	special delivery／快递邮件／속달
書留(かきとめ)	registered mail／挂号信／등기
航空便(こうくうびん)	airmail／航空邮件／항공편
船便(ふなびん)	sea mail, surface mail／船运／선편
宅配(たくはい)	home delivery／送货上门服务／택배

●配達(はいたつ)する・届(とど)く

Delivery／配送•抵达／배달하다 도착하다

荷物(にもつ)を配達する	to deliver a package／投递货品／짐을 배달하다
荷物を届ける	to deliver a package／送货／짐을 배달하다
⇔荷物が届く	a package is delivered／货物抵达／짐이 도착하다
荷物が着(つ)く	a package arrives／货物到达／짐이 도착하다
荷物を受(う)け取(と)る	to receive a package／收货／짐을 받다
はんこを押(お)す	to stamp one's seal／盖章／도장을 찍다
サインをする	to sign／签字(署名)／사인을 하다

●その他(た)

便(たよ)りがある	to receive news/a letter／有信，有消息／소식이 있다
返事(へんじ)を書(か)く	to write a reply／回信／답장을 쓰다
送料(そうりょう)がかかる	to incur a shipping fee／花邮费／송료가 들다
小包(こづつみ)	package／包裹／소포
電報(でんぽう)	telegram／电报／전보

CD 16 **例文**

①「荷物は**宅配**で送る？　それとも持って帰る？」「そんなに重くないから、持って帰るよ」
②係：こちらの**用紙**に**お届け先**のご住所とお名前をご記入ください。
③**航空便**だと、いくらかかりますか。
④「**速達**で出したほうがいいのかなあ？」「いや、普通**郵便**でも大丈夫だよ」
⑤配達の人：**お届け**物です。こちらに**はんこ**か**サイン**をお願いします。

ドリル

つぎの（　　　）に合うものをａ～ｅの中から一つ選びなさい。

1）

①（　　　）を書き間違えたため、手紙がもどってきてしまった。
②お（　　　）ありがとうございます。お元気そうで、よかったです。
③結婚式には出席できないから、お祝いの（　　　）を送るつもりです。
④締切に間に合わないかもしれないよ。（　　　）で送ったらどう？

a. 速達	b. 書留	c. 電報	d. 便り	e. あて先

2）

①航空便にすると、送料が１万円も（　　　）しまう。
②ほかの部品がまだ（　　　）いないから、作業を進めることができない。
③このラベルに住所と名前、電話番号を（　　　）ください。
④郵送での受け取りをご希望の場合は、返信用封筒を（　　　）ください。

＊ラベル：物に貼るための紙

a. 配達して	b. 届いて	c. かかって	d. 記入して	e. 同封して

17 人生（じんせい）

Life／人生／인생

●誕生（たんじょう）・成長（せいちょう） Birth & growth／诞生·成长／탄생 성장

生（う）まれる〔誕生する〕	to be born／出生／태어나다
▶生む	to give birth／分娩／낳다
育（そだ）つ	to grow／发育／자라다
▶成長する	to grow／成长／성장하다
育てる	to raise／养育／키우다
▶育児（いくじ）〔子（こ）育て〕	childraising／育儿, 养育孩子／육아
幼稚園（ようちえん）	kindergarten／幼儿园／유치원
大人（おとな）になる	to become an adult／长大成人／어른이 되다
大（おお）きくなる	to grow up／长大／크다

●夢（ゆめ）・希望（きぼう） Dreams & hopes／梦想·希望／꿈 희망

夢を持（も）つ	to have a dream／拥有梦想／꿈을 가지다
希望を抱（いだ）く	to have hope／怀抱希望／희망을 품다
かなう（夢・希望が）	to come true／实现／이루어지다
志望（しぼう）	preferred, of one's choice／志愿／지망

●入学（にゅうがく）・卒業（そつぎょう）・就職（しゅうしょく） Schooling, graduation & employment／入学·毕业·就职／입학·졸업 취직

入学する	to enroll in a school／入学／입학하다
卒業する	to graduate／毕业／졸업하다
入社（しゃ）する	to join a company／进公司／입사하다
就職する	to get a job／就职／취직하다
退（たい）職する	to leave a job／退休／퇴직하다
＝会社（かい）をやめる	to quit a company／辞去工作／회사를 그만두다
独立（どくりつ）する	to become independent／独自创业／독립하다

●恋愛（れんあい） Love／恋爱／연애

出会（であ）う	to meet (for first time)／邂逅／만나다
▶出会い	
付（つ）き合（あ）う	to date／交往／사귀다
▶付き合い	
デートする	to date, to go on a date／约会／데이트하다
恋人（こいびと）	lover, girlfriend/boyfriend／恋人／애인
失恋（しつれん）する	to be rejected／失恋／실연하다
ふる	to be rejected, to be stood up／拒绝／차다

例（れい）：彼女（かのじょ）にふられてしまった。

結婚（けっこん）する	to marry／结婚／결혼하다
離（り）婚する	to divorce／离婚／이혼하다
別（わか）れる	to split up／分手／헤어지다

●死（し） Death／死／죽음

生（い）きる	to live／生存／살다
命（いのち）〔生命（せいめい）〕	life／生命／생명
死ぬ〔亡（な）くなる〕	to die／死亡／죽다
年（とし）をとる	to age／上年纪／나이를 먹다
老（お）いる	to grow old／衰老, 上年纪／늙는다
長生（ながい）きする	to live a long life／长命, 长寿／장수하다
寿命（じゅみょう）	longevity／寿命／수명
葬式（そうしき）	funeral／葬礼／장례식
墓（はか）	grave／坟墓／묘

●人の呼び方（ひと よ かた）　Terms for people／称呼人的方式／사람의 호칭

赤ちゃん〔赤ん坊〕（あか／ぼう）	baby／婴儿／아기
幼児（ようじ）	infant／幼儿、儿童／유아
少年（しょうねん）	juvenile, boy／少年／소년
青年（せいねん）	youth／青年／청년
大人（おとな）	adult／成人、大人／어른
▶成人（せいじん）	adult／成人、大人／성인
▶未成年（みせいねん）	minor／未成年人／미성년
中年（ちゅうねん）	middle-aged person／中年人／중년
年配（ねんぱい）	elderly person／老年人／연배
お年寄り（としより）〔老人（ろうじん）／高齢者（こうれいしゃ）〕	elderly person／老人／노인

CD 17

例文（れいぶん）

①〈スピーチ〉運命（うんめい）の出会（であ）いをしたお二人（ふたり）は、その後（あと）、すぐに**お付き合い**（つ あ）を始（はじ）めたそうです。

②「林先生（はやしせんせい）が**亡**（な）**くなった**のはショックだったね」「うん。ずい分（ぶん）お世話（せわ）になったからね」

③私（わたし）は東京（とうきょう）**生**（う）**まれ**ですが、**育**（そだ）**った**のは北海道（ほっかいどう）です。

④ロボットを作（つく）るという**夢**（ゆめ）**をかなえる**ため、彼（かれ）はその会社（かいしゃ）に**就職**（しゅうしょく）**した**。

⑤いつかは**独立**（どくりつ）**して**、自分（じぶん）の店（みせ）を持（も）ちたいと思（おも）っています。

ドリル

つぎの（　　　）に合（あ）うものをａ～ｅの中（なか）から一（ひと）つ選（えら）びなさい。

1）

①医学（いがく）の進歩（しんぽ）により、人間（にんげん）の平均（へいきん）（　　　）はどんどん伸（の）びている。

②祖父（そふ）には、いつまでも（　　　）してほしいと思（おも）っています。

③今日（きょう）、さくら動物園（どうぶつえん）で初（はじ）めて、ゾウの赤（あか）ちゃんが（　　　）しました。

④大（おお）きくなったら何（なに）になりたいか、将来（しょうらい）の（　　　）について子（こ）どもたちに聞（き）きました。

a. 成長（せいちょう）	b. 寿命（じゅみょう）	c. 長生き（ながい）	d. 夢（ゆめ）	e. 誕生（たんじょう）

2）

①将来（しょうらい）は貿易関係（ぼうえきかんけい）の会社（かいしゃ）に（　　　）、海外（かいがい）で働（はたら）きたいと思（おも）っています。

②知（し）りませんでした？　あの二人（ふたり）は半年（はんとし）くらい前（まえ）から（　　　）ますよ。

③いい名前（なまえ）ですね。だれが名前を（　　　）くれたんですか。

④父（ちち）は、長年（ながねん）の夢（ゆめ）が（　　　）、本当（ほんとう）にうれしそうだ。

a. つけて	b. 出会って（で あ）	c. 付き合って（つ あ）	d. かなって	e. 就職して（しゅうしょく）

18 国・社会（くに・しゃかい）

Nation & society／国家・社会／나라 사회

●政治・選挙（せいじ・せんきょ）　Politics & elections／政治・选举／정치 선거

選挙　election／选举／선거

投票する（とうひょう）　to vote／投票／투표하다

代表（だいひょう）　representative／代表／대표

候補者（こうほしゃ）　candidate／候选人／후보자

演説する（えんぜつ）　to give a speech／演讲／연설하다

首相（しゅしょう）　prime minister／首相／수상

政府（せいふ）　government／政府／정부

●社会（しゃかい）　Society／社会／사회

首都（しゅと）　capital／首都／수도

全国（ぜんこく）　the whole country／全国／전국

地方（ちほう）　provincial area, local／地方／지방

県（けん）　prefecture／县（相当于中国的省）／현

▶**東京都、北海道、大阪府、京都府**（とうきょうと、ほっかいどう、おおさかふ、きょうと）

市・町・村（し・ちょう・そん）　city/town/village／市・町・村／사 읍 리

都会　big city／大城市／도회(도시)

田舎（いなか）　countryside／农村／시골

都市　city／都市、城市／도시

地域（いき）　community／地域、地区／지역

郊外（こうがい）　suburbs　／郊外／교외

市長（ちょう）　mayor／市长／시장

市役所（やくしょ）　city hall／市政府／시청

役人（にん）　civil servant／官员、公务员／공무원

国民（こくみん）　the people (of a nation)／国民／국민

市民　citizen／市民／시민

住民（じゅう）　resident／居民／주민

公共の（こうきょう）　public／公共的／공공의

法律〔法〕を守る（ほうりつ　まも）　to obey the law／遵守法律／법률

▶**規則〔ルール〕**（きそく）　rules／规则／규칙

税金がかかる（ぜいきん）　to be taxed／花费税金／세금이 들다

消費税（しょうひ）　consumption tax／消费税／소비세

権利（けんり）　right／权利／권리

義務（ぎむ）　duty／义务／의무

●社会問題（しゃかいもんだい）　Social issues／社会问题／사회문제

犯罪を防ぐ（はんざい　ふせ）　to prevent crime／防止犯罪／범죄를 막다

治安がいい（ちあん）　safe／治安良好／치안이 좋다

いじめ　bullying　／欺负／괴롭힘

自殺（じさつ）　suicide／自杀／자살

暴力をふるう（ぼうりょく）　to behave violently／使用暴力／폭력을 휘두르다

深刻な事件（しんこく　じけん）　serious incident／严重事件／심각한 사건

少子化が進む（しょうしか　すす）　birthrate declines increasingly／少子化现象加剧／출산감소가 진행되다

高齢化（こうれい）　population aging／高龄化／고령화

フリーター　job-hopping part-timer／自由职业者／아르바이트

公害（こうがい）　pollution／公害／공해

騒音（そうおん）　noise／噪音／소음

排気ガス（はいき）　exhaust gas／废气／배기가스

汚染する（おせん）　to pollute／污染／오염되다

●その他(た)

世の中(よのなか)〔世間(せけん)〕	the world／社会、世态／세상
ビザ	visa／签证／비자
外国人登録証(がいこくじんとうろくしょう)	alien registration card／外国人登录证／외국인 등록증
身分証明書(みぶんしょうめいしょ)	ID card／身份证／신분증명서
環境(かんきょう)	Environment／环境／환경
パトカー	police car／巡逻车／순찰차
消防車(しょうぼうしゃ)	fire truck／消防车／소방차
救急車(きゅうきゅう)	ambulance／救护车／구급차
大統領(だいとうりょう)	president／大总统／대통령

CD 18

例文(れいぶん)

①若(わか)い頃(ころ)は**都会(とかい)**に出(で)たいと思(おも)ったけど、年(とし)をとったら、**田舎(いなか)**でのんびり暮(く)らしたくなった。

②**外国人登録証(がいこくじんとうろくしょう)**の手続(てつづ)きは、どこでできますか」「**市役所(しやくしょ)**でできますよ」

③「今週末(こんしゅうまつ)は、**市長選挙(ちょうせんきょ)**ですね」「そういえば、昨日(きのう)、駅前(えきまえ)で**候補者(こうほしゃ)**が**演説(えんぜつ)**してました」

④〈ニュース〉**政府(せいふ)**は、新(しん)5か年経済計画(ねんけいざいけいかく)を発表(はっぴょう)しました。

⑤いじめによる**自殺(じさつ)**がまた起(お)きた。本当(ほんとう)に**深刻(しんこく)な**問題(もんだい)だ。

ドリル

つぎの（　　　）に合(あ)うものをａ～ｅの中(なか)から一(ひと)つ選(えら)びなさい。

1）

①選(えら)ばれた選手(せんしゅ)たちは皆(みな)、国(くに)の（　　　）としてがんばると語(かた)った。

②この法律(ほうりつ)は、（　　　）の建物(たてもの)の中(なか)でたばこを吸(す)うことを禁(きん)じたものです。

③これらの新(あたら)しい企業(きぎょう)の活動(かつどう)は、地域(ちいき)（　　　）の発展(はってん)にも役立(やくだ)つ。

④今回(こんかい)の（　　　）率(りつ)を見(み)ると、政治(せいじ)に関心(かんしん)を持(も)たない若者(わかもの)が、また増(ふ)えているようだ。

a. 代表(だいひょう)	b. 公共(こうきょう)	c. 社会(しゃかい)	d. 投票(とうひょう)	e. 技術(ぎじゅつ)

2）

①この雑誌(ざっし)には、日本(にほん)（　　　）のおいしいラーメン屋(や)がたくさん紹介(しょうかい)されている。

②（　　　）の大学(だいがく)を出(で)ても、都会(とかい)で就職(しゅうしょく)を希望(きぼう)する若者(わかもの)が多(おお)い。

③新(あたら)しい首相(しゅしょう)、政府(せいふ)に対(たい)する（　　　）の期待(きたい)は大(おお)きい。

④農村(のうそん)の（　　　）は年々減少(ねんねんげんしょう)しており、さらに高齢化(こうれいか)が進(すす)んでいる。

a. 地域(ちいき)	b. 国民(こくみん)	c. 全国(ぜんこく)	d. 地方(ちほう)	e. 人口(じんこう)

19 産業・技術（さんぎょう ぎじゅつ）

Industry & technology／产业·技术／산업 기술

●産業（さんぎょう） Industry／产业／산업

- 国内の産業（こくない） domestic industry／国内的产业／국내 산업
- 発展する（はってん） to grow／发展／발전하다
- 工業（こう） (manufacturing) industry／工业／공업
- 農業（のう） agriculture／农业／농업
- 漁業（ぎょ） fishing industry／渔业／어업
- 生産する（せいさん） produce／生产／생산하다
- ▶大量生産（たいりょう） mass production／大量生产／대량생산
- 消費する（しょうひ） to consume／消费／소비하다
- 開発する（かいはつ） to develop／开发／개발하다
- 管理する（かんり） to manage／管理／관리하다
- 建設する（けんせつ） to build／建设／건설하다
- 建築する（ちく） to build／建筑／건축하다

※道路・空港・工場などにはふつう「建設」を使う。（どうろ くうこう じょう つか）

- 原料（げんりょう） raw material／原料／원료
- 材料（ざい） material／材料／재료

類 原材料 raw material／原材料／유원재료

- 石油（せきゆ） petroleum／石油／석유
- 石炭（たん） coal／煤炭／석탄
- 燃料（ねんりょう） fuel／燃料／연료
- 電力を供給する（でんりょく きょうきゅう） to supply electricity／供给电力／전력을 공급하다
- 発電する（はつ） to generate electricity／发电／발전하다
- ▶原子力発電所（げんしりょく しょ） nuclear power plant／原子发电厂／원자력 발전소
- 科学技術の進歩（かがくぎじゅつ しんぽ） progress of science and technology／科学技术的进／과학기술의 진보
- バイオ技術 biotechnology／生物技术／바이오 기술
- プロジェクト project／项目／프로젝트

●工場・機械（こうじょう きかい） Factories & machines／工厂·机械／공장· 기계

- 作業する（さぎょう） to work／作业／작업하다
- 運転する（機械を）（うんてん） to run／运转／운전하다
- 停止する（機械を）（ていし） to stop／停止／정지하다
- 調節する（ちょうせつ） to regulate, to adjust／调节／조절하다
- 自動（じどう） automatic／自动／자동
- 部品を組み立てる（ぶひん く た） to assemble parts／组装零件／부품을 조립하다
- エネルギー energy／能源／에너지
- エンジン engine／发动机／엔진
- モーター motor／马达／모터

●製品（せいひん） Products／制品／제품

- 品質がいい（しつ） to be of good quality／品质好／품질이 좋다
- ▶質 quality／品质、质量／질
- 性能がいい（せいのう） to have good performance／性能好／성능이 좋다
- 便利な機能（べんり き） convenient function／方便的性能／편리한 기능
- 最新のモデル（さいしん） latest model／最新款式／최신모델

●その他（た）

- 規模（きぼ） scale／规模／규모

例：大規模（な・に）、小規模（な・に）（れい だい しょう）

大型（おおがた） large-scale／大型／대형

小型（こ） small-scale／小型／소형

特許（とっきょ） patent／专利／특허

円高（えんだか） strong yen／日元升值／엔고

⇔円安（やす）

CD 19 **例文**（れいぶん）

①〈工場で〉**組み立て**が終わったものは、こっちに運んでください。

②私の友人は、何年後かに会社をやめて、**農業**を始めたいと言っています。

③〈工場で〉あれっ？　**停止**ボタンを押したのに止まらない。故障かなあ？

④林さんは、海外向けの商品**開発**を行う**プロジェクト**チームに入った。

⑤**石油**に代わる新しい**燃料**の一つとして、バイオ燃料の開発が進められている。

ドリル

つぎの（　　）に合うものをａ～ｅの中から一つ選びなさい。

1）

①来年の春、郊外に大型のスーパーが（　　）される予定です。

②この工場では、年間 300 万台の車を（　　）しています。

③この３つのボタンで、スピードを（　　）することができます。

④〈工場で〉（　　）中は、けがをしないように十分気をつけてください。

a. 生産（せいさん）	b. 消費（しょうひ）	c. 作業（さぎょう）	d. 建設（けんせつ）	e. 調節（ちょうせつ）

2）

①あれ？（　　）が一つ足りない。これじゃ、完成しないよ。困ったな。

②最新モデルには、多くの（　　）がついている。

③（　　）のほとんどを輸入しているので、円安になると影響が大きい。

④他社の製品に比べ、（　　）はいいけど、デザインがよくない。

a. 機能（きのう）	b. 原材料（げんざいりょう）	c. 性能（せいのう）	d. 特許（とっきょ）	e. 部品（ぶひん）

20 材料・道具

ざいりょう　どうぐ

Materials & utensils／材料・工具／재료· 도구

●材料（ざいりょう） Materials／材料／재료

油（あぶら）	oil, grease／油／기름
石油（せきゆ）	petroleum／石油／석유
石炭（せきたん）	coal／煤炭／석탄
鉄（てつ）	iron, steel／铁／철
▶スチール製の棚（せい・たな）	steel rack／钢架, 铁架／금속제의 선반
金メダル（きん）	gold medal／金牌／금메달
銀（ぎん）	silver／银／은
銅（どう）	copper, bronze (medal)／铜／동
ダイヤモンド	diamond／钻石／다이아몬드
アルミ缶（かん）	aluminum can／易拉罐／알루미늄캔
金属（きんぞく）	metal／金属／금속
輪ゴム（わ）	rubber band／橡皮圈／동그란 고무줄
ビニールの袋（ふくろ）	plastic bag／塑料袋／비닐봉지
ナイロンの靴下（くつした）	nylon socks／尼龙袜／나일론 양말
プラスチックの容器（ようき）	plastic container／塑料容器／플라스틱 용기
綿のシャツ（めん）	cotton shirt／棉制衬衣／면 셔츠
ウールのセーター	wool sweater／羊毛衫／모직스웨터
ひもで結ぶ（むす）	to tie with a string／用绳子系上／끈으로 묶다
木材（もくざい）	wood, lumber／木材／목재

●道具（どうぐ） Utensils／工具／도구

ナイフ	knife／刀／나이프
はさみ	scissors／剪刀／가위
カッター	box cutter／切削刀具／문방구용 칼
セロハンテープ	cellophane tape／透明胶带／셀로판테이프
ガムテープ	packing tape／胶带／상자테이프
インク	ink／墨水／잉크
コピー用紙（ようし）	copy paper／复印纸／복사용지
文房具〔文具〕（ぶんぼうぐ）	stationery／文具／문방구
針で縫う（はり・ぬ）	to sew with a needle／用针缝制／바늘로 꿰매다
布（ぬの）	cloth／布／천
ふきんでふく	to wipe with a cloth／用抹布擦拭／행주로 닦다
ほうきで掃く（は）	to sweep with a broom／用扫把扫地／빗자루로 쓸다
ちりとり	dustpan／撮箕／쓰레받기
ぞうきん	rag／抹布／걸레
スポンジ	sponge／海绵／스펀지
棒（ぼう）	pole, rod ／棒子／막대기
板（いた）	board／木板／판자
包丁（ほうちょう）	kitchen knife／菜刀／부엌칼
まな板	cutting board／菜板／도마
入れ物（い・もの）	container／容器／넣을 용기
▶ケース	case／箱子／상자
ふた	lid／盖子／뚜껑
▶カバー	cover／盖子／덮개
段ボール箱（だん・ばこ）	cardboard box／纸箱子／상자

※「ダンボール」とも書く（か）。 "ダンボール" is another way to write.／也写为「ダンボール」／「ダンボール」라고도 쓴다.

ベルト	belt／皮带／벨트
リモコン	remote control／遥控器／리모컨

ボタン	button／按钮／단추	**電池**	battery／电池／건전지
スイッチ	switch／开关／스위치	**アンテナ**	antenna／天线／안테나

CD 20

例文

①**油**を使うときは気をつけてね。火が移ると大変だから。

②それは、**はさみ**より**カッター**を使ったほうがきれいに切れますよ。

③明日のバーベキュー用に、**包丁**と**まな板**、それから、**プラスチック**のお皿とか紙コップとかがいるね。

④「プリンターの**インク**ってどこ？」「そこの**ダンボール箱**に入っていたと思うけど」

⑤**電池**が切れたのかなあ？　**リモコン**が全然使えない。

ドリル

つぎの（　　）に合うものをａ～ｅの中から一つ選びなさい。

1）

①すみません、（　　）を貸してもらえませんか。しょう油をこぼしちゃって。

②さっき（　　）で床を掃いたばかりだから、汚さないでね。

③ボタンがとれそうね。どこかで糸と（　　）を買って縫ってあげるよ。

④新聞紙は、（　　）でこんなふうに結んだほうが運びやすいですよ。

a. ほうき	b. ちりとり	c. ふきん	d. 針	e. ひも

2）

①（　　）をしっかり貼って、中の物が出ないようにしないと。

②この（　　）の指輪は、亡くなった祖母からもらったものです。

③このセーターは（　　）100 パーセントだから暖かいよ。

④実家では、冬は、エアコンよりも（　　）ストーブを使うことが多いです。

a. ウール	b. 金属	c. ガムテープ	d. 石油	e. 金

21 自然①（自然と人間）
しぜん　にんげん

Nature ① (nature & humans)／自然①(自然与人)／자연①(자연과 인간)

●自然（しぜん） Nature／自然／자연

- **宇宙**（うちゅう） space, universe／宇宙／우주
- **地球**（ちきゅう） earth／地球／지구
- **太陽**（たいよう） sun／太阳／태양
- **波**（なみ） wave／波涛／파도
- **陸**（りく） land／陆地／육지
- **大陸**（たい） continent／大陆／대륙
- **北極**（ほっきょく） North Pole／北极／북극
- **南極**（なん） South Pole／南极／남극
- **森林**（しんりん） forest／森林／삼림
- **砂漠**（さばく） desert／沙漠／사막
- **谷**（たに） valley／山谷／계곡

●気候（きこう） Climate／气候／기후

- **温暖な気候**（おんだん） warm climate, mild weather／温暖的气候／온난한 기후
- **温帯**（たい） temperate zone／温带／온대
- **熱帯**（ねっ） tropics／热带／열대
- ▶**熱帯雨林**（うりん） tropical rainforest／热带雨林／열대우림
- 部屋の**温度**（ど） room temperature／房间的温度／방의 습도
- 7月の**気温**（き） July temperatures／7月的温度／7월의 기온
- **湿度（が高い/低い）**（しつ　たか　ひく） humidity／湿度／습도
- **湿気（が多い/少ない）**（おお　すく） moisture／湿气／습기
- **蒸し暑い**（む　あつ） muggy／闷热／무덥다
- **湿る**（しめ） to become damp／弄湿, 潮湿, 有水气／습기가 차다
- **乾燥する**（かんそう） to become dry／干燥／건조하다

- **天気予報**（てんきよほう） weather forecast／天气预报／일기예보
- **異常気象**（いじょう　しょう） abnormal weather／气候异常／이상기온
- **地球温暖化**（ちきゅう　か） global warming／地球温室效应／지구온난화

●自然現象（しぜんげんしょう） Natural phenomena／自然现象／자연현상

- **朝日が昇る**（あさひ　のぼ） (morning) sun rises／朝阳升起／아침 해가 떠오르다
- **夕日〔日〕が沈む**（ゆう　しず） (evening) sun sets／日落西山／저녁해/해가 지다
- **強い日差し**（つよ　ひざ） intense sunshine／强烈的阳光／강한 햇살
- 日に**焼ける**（や） to become tanned/sunburned／晒黑／햇볕에 살갗이 그을다
- **嵐**（あらし） storm／风暴／폭풍
- **夕立**（ゆうだち） evening shower／雷雨／소나기
- **雷**が鳴る（かみなり　な） to thunder／打雷／천둥이 울리다
- **虹**（にじ） rainbow／彩虹／무지개
- **空気**（くうき） air／空气／공기
- **酸素**（さんそ） oxygen／氧气／산소
- **二酸化炭素**（に　かたん） carbon dioxide／二氧化碳／이산화탄소

●地震・台風（じしん　たいふう） Earthquakes & typhoons／地震・台风／지진 태풍

- **地震**が起きる（お） earthquake occurs／发生地震／지진이 일어나다
- ▶**震度**（ど） seismic intensity (on Japanese scale)／震级／진도
- ▶**揺れる**（ゆ） to shake／摇晃／흔들리다
- **雷**が落ちる（かみなり　お） lightning strikes／落雷／벼락이 떨어지다
- **台風**（たいふう） typhoon／台风／태풍

大雨（おおあめ）	heavy rain／大雨／큰비
洪水（こうずい）	flood／洪水／홍수
津波（つなみ）	tsunami／海啸／해일
火山が噴火する（かざん ふん）	volcano erupts／火山喷火／화산이 분화하다
停電（ていでん）	blackout／停电／정전
被害が出る（ひがい で）	damage occurs／出现损失／피해가 생기다

●その他（た）

天然（てんねん）	natural／天然／천연
▶**人工**（じんこう）	artificial, manmade／人工／인공

CD 21

例文（れいぶん）

①「毎日、**蒸し暑い**ね」「今年は**異常気象**だって。早く涼しくなってほしいね」
まいにち　むしあつ　　　　ことし　いじょうきしょう　　　　はや　すず

②このプログラムは、**自然**の中でいろいろな体験をするのが目的です。
しぜん　なか　　　　　　たいけん　　　　　もくてき

③「今朝の**地震**、大きかったですね。**震度**４だったそうですよ」「かなり揺れましたからね」
けさ　じしん　おお　　　　　　しんど　　　　　　　　　　　　　　　ゆ

④＜天気予報＞あすは**日差し**が強く、**気温**もぐんぐん上がって、30度を越えそうです。
てんきよほう　　　ひざ　つよ　きおん　　　　　あ　　　　　ど　こ

⑤あっ、**雷**が鳴りましたね。もうすぐ**夕立**が来るかもしれませんね。
かみなり　な　　　　　　　　　　ゆうだち　く

ドリル

つぎの（　　）に合うものをａ～ｅの中から一つ選びなさい。

1）

①波が少し高くなっていますが、（　　）の危険はないようです。
なみ　すこ　たか　　　　　　　　　　　　　　きけん

②大雨による（　　）は各地に広がり、500人以上の人が家を失った。
おおあめ　　　　　　　かくち　ひろ　　　　にんいじょう　ひと　いえ　うしな

③（　　）が近づいているので、午後から雨と風が強くなるようです。
ちか　　　　　　　　ごご　　あめ　かぜ　つよ

④この山が（　　）したのは、もう何年も前のことです。

a. 被害（ひがい）	b. 台風（たいふう）	c. 洪水（こうずい）	d. 噴火（ふんか）	e. 津波（つなみ）

2）

①この季節は（　　）が多くていやですね。洗濯物もなかなか乾かないし。
きせつ　　　　　　　おお　　　　　　　せんたくもの　　　　　　かわ

②今日は日差しも少なく、（　　）はあまり上がらなさそうです。
きょう　ひざ　すく　　　　　　　　　　　　あ

③都会は（　　）が汚いから住みたくないと、祖母は言います。
とかい　　　　　　きたな　　す　　　　　　　　そぼ　い

④ホテルの部屋からは、海に沈む（　　）がきれいに見えました。

a. 夕日（ゆうひ）	b. 虹（にじ）	c. 空気（くうき）	d. 気温（きおん）	e. 湿気（しっけ）

22 自然②(生き物と人間)
しぜん い もの にんげん

Nature ② (Living things & humans)／自然②(生物与人)／자연②(생물과 인간)

●動物(どうぶつ) Animals／动物／동물

サル(猿(さる))	monkey／猿／원숭이
クマ(熊(くま))	bear／熊／곰
トラ(虎(とら))	tiger／虎／호랑이
パンダ	panda／熊猫／판다
ヒツジ(羊(ひつじ))	sheep／羊／양
▶群(む)れ	flock, herd／群／무리
ヤギ	goat／山羊／염소
ヘビ	snake／蛇／뱀
ワニ	alligator, crocodile／鳄鱼／악어
ペンギン	penguin／企鹅／펭귄
イルカ	dolphin, porpoise／海豚／돌고래
クジラ	whale／鲸鱼／고래
カメ(亀(かめ))	turtle, tortoise／乌龟／거북이
サメ	shark／鲨鱼／상어
マグロ	tuna／金枪鱼／다랑어
サケ	salmon／鲑鱼／연어
スズメ	sparrow／麻雀／참새
ハト	pigeon, dove／鸽子／비둘기
カラス	crow／乌鸦／까마귀
ハエ	fly／苍蝇／파리
蚊(か)	mosquito／蚊子／모기
アリ	ant／蚂蚁／개미
ハチ	bee／蜂／벌
しっぽ	tail／尾巴／꼬리
羽(はね)	feather, wing／羽毛／날개
巣(す)	nest／巢／둥지

●植物(しょくぶつ) Plants／植物／물

葉(は)〔葉っぱ〕	leaf／叶子／树叶 / 잎사귀
根(ね)	root／根／뿌리
芽(め)が出(で)る	bud sprouts／发芽／싹이 나다
花(はな)が咲(さ)く	flower blooms／开花／꽃이 피다
花が散(ち)る	petals scatter／花落／꽃이 지다
枯(か)れる(草(くさ)/花/木(き)が)	to wither／枯／마르다
例(れい):枯れ葉、枯れ木	
枝(えだ)が折(お)れる	branch breaks／树枝断掉／가지가 꺾이다
▶枝を折る	
紅葉(こうよう)	fall colors／红叶／단풍
落(お)ち葉(ば)	fallen leaves／落叶／낙엽
芝生(しばふ)を刈(か)る	to mow the lawn／割草坪／잔디를 깎다
竹(たけ)	bamboo／竹子／대나무
バラ	rose／玫瑰, 蔷薇／장미

●農業(のうぎょう) Agriculture／农业／농업

田(た)〔田んぼ〕	rice paddy／田地／논
稲(いね)を植(う)える	to plant rice／种稻／벼를 심다
▶田植え	rice planting／插秧／모내기
稲を刈(か)る	to reap rice／割稻谷／벼를 거두다
畑(はたけ)を耕(たがや)す	to plow a field／耕田／밭을 갈다
種(たね)をまく	to plant seeds／撒种／씨를 뿌리다
作物(さくもつ)を収穫(しゅうかく)する	to harvest crops／收获农作物／작물을 수확하다

草が生える	grass/weeds grow／长草／풀이 자라다
▶**雑草**	weed／杂草／잡초
実がなる	to bear fruit／结果实／열매가 열리다

●その他

生き物	living things／生物／생물
人間	humans／人／인간
毛皮	fur／毛皮／털가죽
農薬	agrochemical／农药／농약

CD 22

例文

①週末の雨で、桜がだいぶ**散って**しまった。

②**農家**の人の話によると、今年は台風の影響でリンゴの**収穫**が少ないそうです。

③いつの間にか、**草**がいっぱい**生え**ちゃったね。そろそろ**刈ら**ないと。

④カラスは賢い鳥で、**人間**の行動をよく観察している。

⑤母も年をとって、**畑**を**耕し**たり**田植え**をしたりするのが、少しつらくなってきたようです。

ドリル

1）つぎの（　　　）に合うものを下の語から一つ選び、必要があれば形を変えて入れなさい。

①そろそろジャガイモの種を（　　　　　　）時期です。

②せっかくかわいい花が咲いたのに、台風で（　　　　　　）しまうかもしれない。

③この花は、毎日水をやらないと、すぐに（　　　　　　）しまうんです。

④この桃の木は、おととし植えたんです。今年は実が（　　　　　　）といいんですが。

なる	枯れる	生える	まく	散る

2）つぎの（　　　）に合うものをａ～ｅの中から一つ選びなさい。

①運がよければ、船の上からイルカの（　　　）を見ることができます。

②見て！　あそこの木の（　　　）に鳥の巣がある。

③彼らは、（　　　）を売って金を得るために、簡単に動物を殺しているんです。

④天気がいいから、公園の（　　　）で昼寝でもしましょうか。

a. 毛皮	b. 稲	c. 群れ	d. 芝生	e. 枝

23 体・健康（からだ・けんこう）

Body & health／身体・健康／몸· 건강

●体〔身体〕（からだ／からだ） Body／身体／몸

全身	ぜんしん	whole body／全身／전신
ほお〔ほほ〕		cheek／面颊／뺨
ひじ		elbow／胳膊肘／팔꿈치
手首	てくび	wrist／手腕／손목
腰	こし	lower back, hip／腰／허리
(お)尻	しり	rear, buttocks／臀部／엉덩이
ひざ		knee／膝盖／무릎
脳	のう	brain／大脑／뇌
心臓	しんぞう	heart／心脏／심장
胃	い	stomach／胃／위
血液〔血〕	けつえき〔ち〕	blood／血液／혈액
筋肉	きんにく	muscle／肌肉／근육
骨を折る〔骨折する〕	ほね お〔こっせつ〕	to break a bone／骨折／뼈가 부러지다
肌	はだ	skin／皮肤／피부
呼吸する〔息をする〕	こきゅう〔いき〕	to breathe／呼吸／호흡하다
▶息を吸う／吐く	す／は	to inhale/exhale／吸气/吐气／숨을 쉬다
消化する	しょうか	to digest／消化／소화하다

●健康・病気（けんこう・びょうき） Health & sickness／健康・疾病／건강· 병

体重を測る	たいじゅう はか	to weigh oneself／测体重／체중을 재다
体温	たいおん	body temperature／体温／체온
体調	ちょう	physical condition／身体状况／몸의 상태
ストレス		stress／精神紧张的状态、压力／스트레스
体がだるい	からだ	to feel listless／身体疲惫／몸이 나른하다
熱が出る	ねつ で	to have a fever／发热／열이 나다
汗をかく	あせ	to sweat／出汗／땀을 흘리다
咳(をする)	せき	to cough／咳嗽／기침을 하다
傷が痛い	きず いた	wound hurts／伤口疼／상처가 아프다
痛み		pain／疼痛／아픔
▶頭痛・腹痛	ずつう ふく	headache/stomachache／头疼・腹部疼痛／두통· 복통
めまい		dizziness／头晕／현기증
吐く	は	to vomit／呕吐／토하다
▶吐き気がする	け	to feel nauseous／想吐／구토기가 있다
虫歯	むしば	cavity／虫牙／충치
診察する〔診る〕	しんさつ〔み〕	to examine (a patient)／诊察／진찰하다

例：医者に診てもらう。（れい いしゃ）

検査する	けんさ	to examine, to test／检查／검사하다
治療する	ちりょう	to treat／治疗／치료하다
手術する	しゅじゅつ	to perform surgery／手术／수술하다
看病する	かんびょう	to nurse／看护／병구완하다
予防する	よぼう	to prevent／预防／예방하다
うがい(をする)		gargling／漱口／양치질
マスク(をする)		gauze/surgical mask／戴口罩／마스크
かぜのウイルス		cold virus／感冒病菌／감기 바이러스
ワクチン		vaccine／疫苗／백신
注射(をする)	ちゅうしゃ	shot, injection／注射／주사
効く	き	to be effective／有效／효과가 있다
精神	せいしん	mind, psyche／精神／정신
▶精神的なストレス	てき	emotional/mental stress／精神压力／정신적인 스트레스

●「～をとる」「～(が)不足」の形でよく使う

Expressions often used in the patterns ～をとる and ～(が)不足／经常使用「～をとる」「～(が)不足」的形式／「～취하다」「～(이)부족」의 형태로 자주 사용한다

睡眠	sleep／睡眠／수면
栄養	nutrition／营养／영양
ビタミン	vitamin／维生素／비타민
水分	water, liquids／水粉／수분
休養	rest／修养／휴양

●その他

ダイエット	diet／减肥／다이어트

CD 23

例文

①今、かぜが流行っているので、**外出**するときは、マスクをするようにしています。
②かぜかなと思ったら、まず、**睡眠**をとるようにしてください。**休養**をとることが一番です。
③**ダイエット**で無理に体重を減らすのは、体によくありませんよ。
④**熱**があるのか、今朝からちょっと**体がだるい**です。
⑤仕事で**ストレス**を感じた時は、友だちと食事に行ったりおしゃべりをしたりします。

ドリル

つぎの（　　）に合うものをa～eの中から一つ選びなさい。

1）
①いろいろ（　　）みたが、脳には特に異常はなかった。
②暑いから、しっかり水分を（　　）、なるべく体を休めるようにしてください。
③ひどくならないうちに、早く医者に（　　）もらったほうがいいよ。
④薬が（　　）きて、少し楽になった。

a. とって	b. 検査をして	c. 診て	d. 効いて	e. 予防して

2）
①「体調はどうですか」「最近、忙しくて、ちょっと（　　）不足です」
②こちらのクリームは少し高いですが、（　　）にいいものを使っております。
③空気が悪い所に行くと、（　　）が出て、止まらなくなるんです。
④学校では、子どもがかぜをひかないように、（　　）と手洗いをさせている。

a. 睡眠	b. せき	c. 肌	d. ダイエット	e. うがい

24 気持ち(きも)

Feelings／心情／기분

●気持ち(きも)　Feelings／心情／기분(마음)

気持ちを込(こ)める　putting feeling into it／心意／마음을 담다

心(こころ)を込める　to put one's self into it／用心／마음을 담다

例(れい)：心を込めて歌(うた)う

気分(きぶん)がいい　to feel good／心情好／기분이 좋다

例：空気(くうき)がきれいで気分がいい。
The clean air makes me feel good.／空气清新, 心情好。／공기가 깨끗해서 기분이 좋다.

例：今日(きょう)はベアーズが勝(か)って気分がいい。
I feel great since the Bears won today.／今天熊队获胜了, 心情真爽。／오늘은 베어스가 이겨서 기분이 좋다.

気分が悪(わる)い　to feel bad/sick／心里不舒服／기분이 나쁘다

例：電車(でんしゃ)の中(なか)で気分が悪くなった。
I got sick on the train.／在电车上不舒服了。／전철 속에서 기분이 나빠졌다.

例：あの人(ひと)と話(はな)していると気分が悪くなる。
Talking with him makes me feel sick.／和那个人说话, 让人觉得不舒服。／저 사람과 말하고 있으면 기분이 나빠진다.

●プラスの気持ち(きも)　Positive feelings／积极的心情／플러스적인 기분

安心(あんしん)する	to feel at ease／安心／안심하다
ほっとする	to feel relieved／放心／안도하다
満足(まんぞく)する	to be satisfied／满足／만족하다
わくわくする	to be excited／心扑通扑通地／두근두근하다
感動(かんどう)する	to be moved／感动／감동하다
幸(しあわ)せな	happy／幸福的／행복한
笑顔(えがお)	smile／笑脸／웃는 얼굴

●マイナスの気持ち(きも)　Negative feelings／消极的心情／마이너스적인 기분

つらい	painful, bitter／痛苦／괴롭다
悔(くや)しい	vexing, regrettable／后悔／분하다
不安(ふあん)	anxiety／不安／불안
不満(ふまん)	displeasure／不满／불만
腹(はら)が立(た)つ	to become angry／生气／화가 나다
がっかりする	to be disappointed／失望／실망하다
いらいらする	to be irritated／急躁不安／초조해하다
ため息(いき)をつく	to sigh／叹气／한숨을 쉬다
▶ため息が出(で)る	to let out a sigh／叹气 ／한숨이 나오다
仕事(しごと)で悩(なや)む	to be troubled by work／工作烦恼／일로 고민하다
▶悩み	worry, trouble／烦恼／고민

●その他(た)

人前(ひとまえ)で緊張(きんちょう)する	to feel nervous in front of others／在人前紧张／사람 앞에서 긴장하다
どきどきする	heart beats fast, to feel nervous／七上八下／두근두근하다
落(お)ち着(つ)く	to calm down／镇静／안정되다
うらやましい	envious／羡慕／부럽다
なつかしい	good old, nostalgic／想念／그립다
平気(へいき)	nonchalant, indifferent／不在乎／태연함
期待(きたい)する	to expect, to count on／期待／기대하다
惜(お)しい	almost, close, regrettable／可惜／아깝다
涙(なみだ)	tears／泪／눈물

CD 24

例文

①「はあ～」「**ため息**ばかり**ついて**いると、幸せが逃げて行くよ」

②この映画を初めて見た時は本当に**感動して**、自然と涙が出ました。

③「日本語で発表するのは初めてだから、**緊張します**」「あれだけ練習したんだから大丈夫。**落ち着いて**」

④「部長、今日はずっと**いらいらして**いるね」「うん。何か嫌なことでもあったんじゃない？」

⑤**悔しい**なあ。あともう少しで勝てたのに。

ドリル

つぎの（　　　）に合うものをａ～ｅの中から一つ選びなさい。

1）

①合格発表の時は、期待と不安ですごく（　　　）しました。

②「このドラマも、来週で終わってしまいますね」「ええ。でも、最後、どうなるのか、（　　　）しますね」

③楽しみにしていた旅行がなくなって、子どもたちは（　　　）していた。

④事故のニュースを聞いて心配したが、家族が無事だとわかって、（　　　）した。

a. いらいら	b. ほっと	c. どきどき	d. わくわく	e. がっかり

2）

①私は、お金がたくさんある人を（　　　）とは思わない。

②〈喫茶店で〉「（　　　）曲だね」「ほんと。私たちが中学生の頃にすごく流行ってたよね」

③近くに悩みを相談できる人がいないので、（　　　）です。

④仲間が困っているのに、どうしてそんなに（　　　）顔をしていられるんですか。

a. 平気な	b. つらい	c. うらやましい	d. なつかしい	e. 幸せな

25 学校（がっこう）

School／学校／학교

●科目（かもく） Subjects／科目／과목

時間割（じかんわり）	schedule／时间表／시간표
数学（すうがく）	math／数学／수학
理科（りか）	science／理科／과학
▶観察（かんさつ）する	to observe／观察／관찰하다
▶実験（じっけん）する	to experiment／实验／실험하다
歴史（れきし）	history／历史／역사
地理（ち り）	geography／地理／지리
物理（ぶつり）(学)	physics／物理／물리
化学（か がく）	chemistry／化学／화학
文法（ぶんぽう）	grammar／语法／문법
初級（しょきゅう）	elementary／初级／초급
中級（ちゅうきゅう）	intermediate／中级／중급
上級（じょうきゅう）	advanced／高级／상급
作文（さくぶん）	composition／作文／작문
基礎（きそ）	fundamentals／基础／기초
知識（ちしき）	knowledge／知识／지식
▶知識を身（み）につける	to acquire knowledge／掌握知识／지식을 몸에 익히다
得意（とくい）な科目	one's strong subject／拿手的科目／잘하는 과목
苦手（にがて）な分野（ぶんや）	one's weak area／不擅长的领域／잘 못하는 과목

●学習（がくしゅう） Learning／学习／학습

学習する	to learn／学习／학습하다
▶学（まな）ぶ	to learn／学习／배우다
暗記（あんき）する	to memorize／背诵／암기하다
自（じ）習する	to study by oneself／自习／자습하다

●試験（しけん）など examination／考試等／시험 등

問題（もんだい）を解（と）く	to solve a problem／解答问题／문제를 풀다
解答用紙（かいとうようし）	answer sheet／答题卷／답안용지
正（せい）解〔解答〕	correct answer/one's answer／正确答案／答案 / 정답 / 해답
点（てん）〔点数（すう）〕	points／分数／점
▶満（まん）点をとる	to get a perfect score／拿满分／만점을 따다
▶点が伸（の）びる	one's scores improve／分数有进步／점수가 올라가다
成績（せいせき）をつける	to grade／打分／성적을 매기다
カンニング(をする)	cheating／作弊／커닝

●使（つか）うもの Things used／使用的物品／사용하는 것

電子辞書（でんしじしょ）	electronic dictionary／电子词典／전자사전
参考書（さんこう）	reference book／参考书／참고서
黒板（こくばん）	blackboard／黑板／칠판
ホワイトボード	whiteboard／白板／화이트보드
プリント	handout／打印的资料／프린트

●学校行事（こうぎょうじ）など School events／学校的节日等／학교 행사 등

遠足（えんそく）	field trip／远足、郊游／소풍
運動会（うんどうかい）	athletic meet/festival／运动会／운동회
コンクール	contest／音乐会／콩쿠르

コンテスト	contest／比赛／경연대회
同窓会	class reunion／同窗会／동창회

●その他

同級生	classmate／同级生／동급생
クラスメート	classmate／同班同学／급우
塾	cram school, after-school lessons／补习班／학원
受験する	to take an exam／考试／시험을 보다
居眠りする	to doze off／打瞌睡／졸다
授業をサボる	to skip class／逃课／수업을 빼먹다

CD 25

例文

①「原さんは、どの**科目**が得意でしたか」「**国語**とか**英語**です。**理科**とか**数学**はいつも苦手でした」

②〈試験会場で〉では、まず、**解答用紙**に名前と**受験**番号を書いてください。

③ときどき**居眠り**はするけど、授業を**サボった**ことは一度もありません。

④試験まであと二日しかないんでしょ？　これを全部**暗記する**のは無理だよ。

⑤林先生は電車の事故で少し遅れるそうなので、それまで**自習して**おいてください。

ドリル

つぎの（　　　）に合うものをａ～ｅの中から一つ選びなさい。

1）

①くり返し（　　　）を行った結果、健康に害のないことが確認された。

②もちろん、学校の（　　　）がよくないと、先生に推せんしてもらえません。

③「英語が150点満点、国語が100点満点です」「（　　　）によって違うんですね」

④人々の様子を（　　　）していて、おもしろいことに気がついた。

a. 観察	b. 科目	c. 実験	d. 暗記	e. 成績

2）

①まず、基礎的な知識を（　　　）ることから始めましょう。

②まじめに勉強しているんだけど、数学の点がなかなか（　　　）ない。

③これから一年間、学校や社会で、いろいろなことを（　　　）たいと思っています。

④問題の量が多くて、全部（　　　）なかった。

a. 伸び	b. 身につけ	c. 受験して	d. 学び	e. 解け

26 大学
だいがく

Universities／大学／대학

●大学（だいがく） Universities／大学／대학

受験する	じゅけん	to take an (entrance) exam／考试／입학시험을 보다
▶大学を受ける	う	to take a university's entrance exam／考大学／대학입시를 치르다
▶入試(=入学試験)	にゅうし にゅうがくしけん	entrance exam／高考／입시
▶大学に進学する	しん	to go on to college／上大学／대학에 진학하다
大学院に進む	いん すす	to go on to graduate school／上研究生／대학원에 진학하다
推薦する	すいせん	to recommend／推荐／추천하다
▶推薦状	じょう	letter of recommendation／推荐信／추천장
教授	きょうじゅ	professor／教授／교수
講師	こうし	lecturer／讲师／강사
指導する	しどう	to guide, to mentor／指导／지도하다
▶アドバイス(をする)		advice／忠告／조언
授業料〔学費〕	じゅぎょうりょう ひ	tuition／学费／수업료
奨学金	しょう きん	scholarship／奖学金／장학금
休学する	きゅう	to take a leave of absence from school／休学／휴학하다
国立大学	こくりつ	national university／国立大学／국립대학
▶私立	し	private university／私立／사립

●分野（ぶんや） Disciplines／领域／분야

経済学	けいざいがく	economics／经济学／경제학
文学	ぶん	literature／文学／문학
教育学	きょういく	pedagogy／教育学／교육학
医学	い	medicine／医学／의학
法律を専攻する	ほうりつ せんこう	to major in law／专攻法律／법률을 전공하다
学部	ぶ	department／系／학부

例：経済学部・法学部・文学部・医学部

department of economics/department of law/department of literature/department of medicine／经济系・法律系・文学系・医学系／예:경제학부 법학부 문학부 의학부

●授業（じゅぎょう） Classes／授课／수업

専門	せんもん	specialty／专业／전문
▶専門知識	ちしき	specialized knowledge, expertise／专业知识／전문지식
前期	ぜんき	first semester／前期／전기
後期	こう	second semester／后期／후기
学期	がっ	semester／学期／학기
講義	こうぎ	lecture, lecture course／讲课／강의
▶休講	きゅう	cancellation of lecture/class／停课／휴학
提出する	ていしゅつ	to submit／提出／제출하다
締め切り	し き	deadline／截止日期／마감
期限	きげん	deadline／期限／기한
▶徹夜する	てつや	to stay up all night／熬夜／밤샘하다
評価する	ひょうか	to evaluate, to grade／评价／평가하다
単位を取る	たんい と	to earn credits／取得学分／학점을 따다
⇔単位を落とす	お	to fail a course／失去学分／학점을 따지 못하다
ゼミ		seminar／研讨会／세미나 수업

●研究（けんきゅう） Research／研究／연구

研究する		to research／研究／연구하다
調査する	ちょうさ	to investigate／调查／조사하다

発表する はっぴょう	to present／発表／발표하다	参考にする さんこう	to refer to／参考／참고하다
報告する ほうこく	to report／報告／보고하다	引用する いんよう	to cite, to quote／引用／인용하다
論文 ろんぶん	paper, thesis／論文／논문	文章 ぶんしょう	text／文章／문장
下書きする した が	to write a draft／写草稿／초고를 쓰다	テーマ	theme, topic／主題、題目／주제
資料 し りょう	(information) resources, materials／資料／자료		

例文
れい ぶん

D 26

① 「レポートの**締め切り**って何日だっけ？」「25日。でも私、まだテーマも決まってない」
② **提出期限**を過ぎたら、書類を受け付けてくれないそうです。
③ 中村先生はいつも丁寧に**指導**してくれるので、学生に人気があります。
④ **大学院**を受けるのに**教授**の**推薦状**が必要なので、田中先生にお願いしました。
⑤ 大学では**教育学**を**専攻**していましたが、今はまったく関係のない仕事をしています。

ドリル

つぎの（　　　）に合うものを a～e の中から一つ選びなさい。

1)

① 国立大学と私立大学とでは、1年間の（　　　）がずいぶん違う。
② 授業料を払うのが大変なので、（　　　）を受けたいと思っています。
③ 就職するか（　　　）するか、そろそろ決めないと。
④ 将来、貿易関係の仕事をしたいので、大学は経済学部を（　　　）することにしました。

a. 授業料 じゅぎょうりょう	b. 奨学金 しょうがくきん	c. 受験 じゅけん	d. 休学 きゅうがく	e. 進学 しんがく

2)

① 先生は、私たちのレポートをどのように（　　　）して、成績をつけているのだろうか。
② 先生に論文の（　　　）を見てもらった。
③ まだ（　　　）結果をまとめていないので、ゼミで発表できない。
④ 林先生は大学で英語を教えていますが、（　　　）はイギリス文学です。

a. 調査 ちょうさ	b. 評価 ひょうか	c. 下書き した が	d. 専門 せんもん	e. 専攻 せんこう

27 仕事・職業

しごと しょくぎょう

Work & occupations／工作・职业／일 직업

●職業 Occupations／职业／직업

しょくぎょう

教師（きょうし）	teacher, instructor／教师／교사
医師（いし）	doctor／医生／의사
看護師（かんごし）	nurse／护士／간호사
エンジニア	engineer／工程师／엔지니어
通訳（つうやく）	interpreter／翻译／통역
運転手（うんてんしゅ）	driver／驾驶员／운전사
俳優（はいゆう）	actor／演员／배우
女優（じょ）	actress／女演员／여배우
スポーツ選手（せん）	athlete, sports player／运动员／운동선수
作家（さっか）	author, writer／作家／작가
公務員（こうむいん）	civil servant／公务员／공무원
OL	female office worker／白领丽人(OL)／여사무원
正社員（せいしゃ）	permanent/full-time employee／正式职员／정사원
パート	part-time worker／非全日制就业／파트타이머
アルバイト〔バイト〕	part-time job／钟点工／아르바이트
フリーター	job-hopping part-time worker／自由职业者／프리터
主婦（しゅふ）	homemaker／主妇／주부

●仕事の種類 Types of work／工作的种类／일의 종류

しごと しゅるい

事務（じむ）	clerical work／行政工作／사무
営業（えいぎょう）	sales, business／营业／영업
翻訳（ほんやく）	translation／翻译／번역

●就職・退職 Finding/leaving jobs／就职・退职／취작 퇴직

しゅうしょく たい

仕事を探す（しごと さが）	to search for a job／找工作／일을 찾다
就職する	to get a job／就职／취직하다
入社する（にゅうしゃ）	to join a company／进公司／입사하다
退職する	to retire, to resign／退职／퇴직하다
雇う（やと）	to employ／雇佣／고용하다
会社をやめる（かい）	to leave a company／辞掉工作／회사를 그만두다
募集する（ぼしゅう）	to recruit／招募／모집하다
応募する（おう）	to apply／应聘／응모하다
面接（めんせつ）	interview／面试／면접
履歴書（りれきしょ）	resume／履历书／이력서
資格（しかく）	qualifications／资格／자격
給料（きゅうりょう）	salary／工资／급료
▶時給（じ）	hourly wages／计时工资／시급
▶ボーナス	bonus／奖金／보너스
▶交通費（こうつうひ）	traveling expenses／交通费／교통비

●仕事をする Working／工作／일을 하다

しごと

打ち合わせ（う あ）	meeting／商议／미리 상의함
ミーティング	meeting／会议／회의
休憩する（きゅうけい）	to take a break／休息／휴식하다
勤務する〔勤める〕（きんむ つと）	to work／工作／근무하다
通勤する（つう）	to commute／上班／통근하다
担当する（たんとう）	to handle, to be in charge of／担任／담당하다
残業する（ざんぎょう）	to work overtime／加班／잔업 하다

経営する(けいえい)	to manage (a business)／经营／경영하다
かせぐ(お金を)(かね)	to earn／挣(钱)／벌다

●その他(た)

職場(しょくば)	workplace／工作单位／직장
上司(じょうし)	boss／上次／상사
部下(ぶか)	subordinate／部下／부하
責任(せきにん)	responsibility／责任／책임
ビジネス	business／商业／비즈니스
名刺(めいし)	calling card／名片／명함
オフィス	office／办公室／사무실
スタッフ	staff／工作人员／스태프

CD 27

例文(れいぶん)

①「どんな仕事(しごと)をしているんですか」「貿易関係(ぼうえきかんけい)の会社(かいしゃ)で**事務**(じむ)の仕事をしています」

②その仕事は田中(たなか)さんが**担当**(たんとう)**している**んですが、今日(きょう)は休(やす)みなんです。

③今回(こんかい)の問題(もんだい)は、すべて私(わたし)の**責任**(せきにん)です。申(もう)し訳(わけ)ありませんでした。

④ずっとパソコンの前(まえ)に座(すわ)るのは体(からだ)によくないよ。ときどき**休憩**(きゅうけい)**しない**と。

⑤「今度の**ミーティング**でコピー機(き)のことを話し合わないと」「そうだね」

27 仕事(しごと)・職業(しょくぎょう)

ドリル

1）つぎの（　　　）に合(あ)うものをａ～ｅの中(なか)から一つ(ひと)選(えら)びなさい。

①「（　　　）時間(じかん)は何(なん)時から何時までですか」「９時から５時までです」

②「これはどう？」「仕事(しごと)はおもしろそうだけど、（　　　）がちょっと安(やす)いなあ」

③２時にふじ工業(こうぎょう)との（　　　）があるので、そろそろ会社(かいしゃ)を出(で)ます。

④（　　　）の雰囲気(ふんいき)がいいので、働(はたら)きやすいです。

a. パート	b. 職場(しょくば)	c. 打(う)ち合(あ)わせ	d. 給料(きゅうりょう)	e. 勤務(きんむ)

2）つぎの（　　　）に合(あ)うものを下(した)の語(ご)から一つ(ひと)選(えら)び、必要(ひつよう)があれば形(かたち)を変(か)えて入(い)れなさい。

①レジの経験(けいけん)はありませんが、（　　　　　）できますか。

②健康(けんこう)のために、電車(でんしゃ)をやめて自転車(じてん)で（　　　　　）ことにしました。

③初(はじ)めてひとりで（　　　　　）た仕事(しごと)なので、その時(とき)のことはよく覚(おぼ)えています。

④親(おや)にお金(かね)を送(おく)りたいので、少(すこ)しでも多(おお)く（　　　　　）たい。

勤務(きんむ)する	担当(たんとう)する	かせぐ	応募(おうぼ)する	通勤(つうきん)する

28 パソコン・ネット

Computers & the Internet／电脑•网络／컴퓨터 인터넷

●パソコン　Computers／电脑／컴퓨터

ノートパソコン　laptop computer／笔记本电脑／노트 컴퓨터

画面（がめん）　screen／画面／화면

キーボード　keyboard／键盘／키보드

▶キーを打（う）つ　to press a key／打字／자판을 치다

マウス　mouse／鼠标／마우스

プリンター　printer／打印机／프린터

ケーブル　cable／线缆／케이블

ファイル　file／文件／파일

フォルダ　folder／文件夹／폴더

印刷（いんさつ）する〔プリントする〕　to print／印刷／인쇄하다

パスワード　password／密码／비밀번호

●インターネット・メール

The Internet & e-mail／网络•邮件／인터넷 메일

ネットにつなぐ／つながる　to connect/be connected to the Internet／链接到网络／인터넷을 연결하다/연결되다

ホームページにアクセスする　to access a website/homepage／上主页／홈페이지에 접근하다

(ウェブ)サイト　website／网页／웹사이트

検索（けんさく）する　to search／检索／검색하다

クリックする　to click／单击／클릭하다

ソフト(ウェア)　software　／软件／소프트웨어

ダウンロードする　to download／下载／내려받다

ブログを書（か）く　to write/keep a blog／写博客／블로그를 쓰다

メール　e-mail／邮件／메일

＝Eメール、電子（でんし）メール

メールアドレス　e-mail address／邮箱地址／메일주소

※短く、「メルアド」「メアド」「アドレス」ともいう。

写真（しゃしん）を添付（てんぷ）する　to attach photos／添加照片／사진을 첨부하다

ウイルス　virus／病毒／바이러스

●データを～　data／数据／데이터를～

保存（ほぞん）する　to save／保存／보존하다

削除（さくじょ）する　to delete／删除／삭제하다

入力（にゅうりょく）する　to enter／输入／입력하다

●メールの表現（ひょうげん）　e-mail expressions／邮件的表达方式／메일에서의 표현

メールを受信（じゅしん）する/受（う）け取（と）る　to receive e-mail ／ 收信 ／ 메일을 수신하다

メールを送信（そう）する/送（おく）る　to send e-mail ／ 送信 ／ 메일을 송신하다

メールに返信（へん）する/返事（じ）をする　to reply to e-mail ／ 回信 ／ 메일의 답장을 쓰다

メールを転送（てん）する　to forward e-mail／转发邮件／메일을 전송하다

CD 28 **例文**

①**ネット**で**検索**して、紅茶のおいしい店を見つけました。

②「その写真、私ももらえる？」「うん、あとで**メール**に**添付して**送るよ」

③「昨日、メールを送ったんだけど」「あ、**返信する**のを忘れてた！　ごめんなさい」

④ではつぎに、「はい」を**クリック**してください。パスワードを**入力する画面**になるはずです。

⑤**データ**がいっぱいになったので、いらない**ファイル**を**削除**しました。

ドリル

1）つぎの（　　　）に合うものをａ～ｅの中から一つ選びなさい。

①さくらさんに連絡したいんだけど、彼女の(　　　）知らない？

②「この店、すごくおいしいね」「うん。いつも読む(　　　）で紹介されてたんだ」

③このパソコン、(　　　）が大きくて見やすいね。

④うちの(　　　）、いま調子が悪くて、うまく印刷できないんです。

a. ブログ	b. データ	c. 画面	d. メルアド	e. プリンター

2）つぎの（　　　）に合うものを下の語から一つ選び、必要があれば形を変えて入れなさい。

①迷わないように、会場までの地図を(　　　　　）て持って行こう。

②さっきからネットに(　　　　　）ないんです。ちょっと見てもらえませんか。

③そのパソコンは日本語も(　　　　　）できるんですか。いいですね。

④「原さんにもこの写真を見せたいんだけど、メールを(　　　　　）てもいい？」「うん、もちろん」

入力する	つながる	転送する	プリントする	受信する

29 人と人・グループ（ひと）

Interpersonal relations & groups／人与人・集团／사람과 사람· 그룹

●相手との関係（あいて／かんけい）

Relations with others／与对方的关系／상대와의 관계

- 電話の相手（でんわ）　other person in a phone conversation／打电话的对方／전화 상대
- 自分の部屋（じぶん／へや）　one's (own) room／自己的房间／자기 방
- ▶自分でやる　to do on one's own／自己做／스스로 하다
- 上司（じょうし）　boss／上司／상사
- 部下（ぶか）　subordinate／下属／부하
- 先輩（せんぱい）　senior／前辈／선배
- 後輩（こう）　junior／后辈／후배
- 新人（しんじん）　newcomer, rookie／新职员／신인
- 目上の人（めうえ／ひと）　superior／上级／윗사람
- 年上（とし）　older／年长的／연상
- 年下（した）　younger／年幼的／연하
- 同い年（おな／どし）　same age／同岁／같은 나이
- わたしの彼（かれ）　my boyfriend／我的男朋友／애인(여자가 말할 때)
- ぼくの彼女（かのじょ）　my girlfriend／我的女朋友／애인(남자가 말할 때)
- 仲（なか）　relationship／关系／사이
- ▶仲がいい／悪い（わる）　to get/not get along with／关系好/坏／사이가 좋다/나쁘다
- ▶仲良し（よ）　friend／好朋友／사이가 좋음
- ▶親友（しんゆう）　close friend／亲密的朋友／친한 친구
- ▶仲間（ま）　buddy, colleague, comrade／伙伴／동료
- ライバル　rival／竞争对手／라이벌
- ～同士（どうし）　fellow__／～(接尾)表示彼此有相同关系／~끼리

例：女同士、仲間同士（おんな）
fellow women, fellow comrades／女同胞、朋友关系／여자끼리, 동료끼리

- 一緒に（いっしょ）　together／一起／함께
- ⇔別々に（べつべつ）　separately／分别／따로 따로

●グループ

Groups／组、集团／그룹

- 集まり（あつ）　group, gathering　／集团／모임
- 集団（しゅうだん）　group, mass／群体、集体／집단
- 団体（たい）　organization, association, group／团体／단체
- 個人（こじん）　individual／个人／개인
- メンバー　member／成员／멤버
- 会員（かいいん）　member／会员／회원
- 入会する（にゅう）　to join a group/association／入会／입회하다
- リーダー　leader／领导／리더

●その他（た）

- 女性（じょせい）　women／女性／여성
- ▶婦人向けの雑誌（ふじんむ／ざっし）　women's magazines／女性杂志／여성을 위한 잡지
- ▶社長のお嬢さん（しゃちょう／じょう）　the president's daughter／老板的女儿／사장의 아가씨
- 男性（だん）　men／男性／남성
- ▶紳士用の服（しんしよう／ふく）　menswear／男装／남성용의 옷
- 交流する（こうりゅう）　to interact／交流／교류하다

CD 29

例文

①「じゃがいもの会？　これって何の**団体**だろう？」「たぶん、お料理の関係じゃない？」

②自分のことばかり言ったらだめだよ。**相手**のことも考えないと。

③うちの両親は**仲がいい**ですよ。今でもよく、いっしょに山に登ったりしています。

④「今、**会員**登録をすると、３千円の商品券がもらえるんだって」「へー、それはお得だね」

⑤**目上の人**と話すときは、きちんとした言葉を使うよう、気をつけてください。

ドリル

つぎの（　　）に合うものをａ～ｅの中から一つ選びなさい。

1）

①田中さんはすごくしっかりしていて、私より（　　）とは思えない。

②「彼女、結婚するんだって」「えっ、そうなの！（　　）は誰？」

③私の（　　）はとても優しくて、部下の面倒をよくみてくれます。

④今日から入る山田くんです。（　　）なので、いろいろ教えてあげてください。

a. 上司	b. 仲間	c. 年下	d. 相手	e. 新人
じょうし	なかま	としした	あいて	しんじん

2）

①うちの大学は中国の大学と（　　）があり、毎年たくさんの留学生が来る。

②今日はテニスクラブの（　　）があるから、帰りがちょっと遅くなると思う。

③健康のために、駅前のスポーツクラブに（　　）しようと思っています。

④金曜の夜は、（　　）のいい同僚とよく食事に行きます。

a. 入会	b. 部下	c. 仲	d. 交流	e. 集まり
にゅうかい	ぶか	なか	こうりゅう	あつ

29 人と人・グループ

73

30 どんな人（ひと）？

What kind of person?／怎样的人？／어떤 사람？

●外見（がいけん） Appearance／外表／외견

外見〔見た目〕（がいけん〔みため〕）	appearance／外表／외견, 외양
かっこいい	cool／帅气／멋있다
美人（びじん）	beautiful woman／美人、漂亮／미인
スタイルがいい	nicely figured／身材好／스타일이 좋다
スマートな	slim／苗条、俊俏／스마트한
幼い（おさない）	young, childlike／幼小的／어리다
おしゃれな	stylish／时髦的／세련된

●性格（せいかく） Personality／性格／성격

陽気な（ようきな）	cheerful／开朗的、活泼的、热闹的／밝은
▶明るい（あかるい）	cheerful／开朗的／밝다
真面目な（まじめな）	serious／认真的／성실한
⇔不真面目な（ふまじめな）	frivolous, lazy／不认真的／불성실한
正直な（しょうじきな）	honest／正直、老实／정직한
素直な（すなおな）	docile, meek／坦率、老实、纯朴／순순한
純粋な（じゅんすいな）	pure／单纯、纯洁／순수한
乱暴な（らんぼうな）	violent／粗暴的／난폭한
優しい（やさしい）	kind, gentle／温柔的／상냥하다
落ち着いた（おちついた）	calm／稳定、平静／안정되다
大人しい（おとなしい）	quiet, well-behaved／温顺、安详、温和敦厚、稳重／어른스럽다
おもしろい	interesting, funny／有趣、有意思／재미있다
のんきな	easygoing, laid-back／悠闲、舒服／느긋한
けちな	stingy／吝啬、小气／구두쇠인
わがままな	selfish／任性、放任／버릇없는

●能力（のうりょく） Ability／能力／능력

賢い（かしこい）	clever, wise／聪明／현명하다
利口な（りこうな）	smart／伶俐、乖巧、能言善辩／영리한
器用な（きような）	dexterous／灵巧、灵活／손재주가 좋은

●行動・態度（こうどう・たいど） Behavior & attitudes／行为・态度／행동· 태도

熱心な活動（ねっしんなかつどう）	zealous activity／热忱的活动／열심히 활동
真剣な態度（しんけんなたいど）	serious attitude／认真的态度／진지한 태도
慎重な行動（しんちょうなこうどう）	cautious action／慎重的行为／신중한 행동
冷たい反応（つめたいはんのう）	cold reaction／冷淡的反应／차가운 반응
不親切な対応（ふしんせつなたいおう）	unfriendly response/treatment／不热情的反应／불친절한 대응
礼儀正しい（れいぎただしい）	courteous／有礼貌的／예의 바르다
⇔失礼な（しつれいな）	rude／失礼的／실례인
行儀がいい（ぎょうぎがいい）	well-behaved, well-mannered／有礼节／예절이 바르다
きちんとした服（ふく）	proper attire／规矩的衣服／제대로 갖춘 옷
勝手な（かってな）	headstrong, self-serving／任性的／멋대로인
積極的な（せっきょくてきな）	active, outgoing／积极的／적극적인
⇔消極的な（しょうきょくてきな）	passive／消极的／소극적인

●印象・評価（いんしょう・ひょうか） Impressions & appraisal／印象・评价的／인상· 평가 등

厳しい(人が)（きびしい(ひとが)）	stern, demanding／严厉的／엄격하다
怖い(人が)（こわい）	scary／可怕的／무섭다
⇔甘い（あまい）	gentle／幼稚／무르다
偉い(人が)（えらい）	great, admirable／伟大的／위대하다
平凡な（へいぼんな）	ordinary／平凡／평범한

ばかな発言 stupid remark／傻话／바보 같은 발언

タイプ type／类型／타입

天才 genius／天才／천재

●～っぽい like～／有～／～답다

子供っぽい childish／孩子气／아이 같다

飽きっぽい easily bored／没有常性的、做事不专心的／질리기 쉽다

●～の〔が〕ある having～／有～的傾向／～있다

ユーモアのある humorous, funny／有幽默感／유머가 있다

勇気のある brave／有勇气／용기가 있다

魅力のある charming／有魅力／매력이 있다

CD 30

例文

①「**スタイルがいい**ですね。何か運動をしているんですか」「はい、水泳をしています」

②**純粋な**気持ちで、彼女と**付き合い**たいと思ったんです。

③彼は**かっこいい**だけじゃなくって、頭もいいんですよ。

④田中先輩は**けち**で、缶ジュース一つ、おごってくれたことがない。

⑤森コーチの**熱心な**指導により、チームは確実に力をつけていった。

ドリル

つぎの（　　）に合うものをａ～ｅの中から一つ選びなさい。

1）

①うそはつかないでください。（　　）に言ってください。

②佐藤さんは、何が起きても全然あわてません。つねに（　　）な人です。

③周りに迷惑をかけないよう、（　　）な行動はしないでくださいね。

④「この服は私が作ったんです」「へえ、（　　）ですね」

a. 勝手	b. 器用	c. 冷静	d. 熱心	e. 正直

2）

①先生は（　　）から、いつもたくさん宿題を出します。

②妹は（　　）性格ですが、テニスをするときは大声を出すんです。

③（　　）よ。食事の時はゲームをしないで。

④私は（　　）ので、新しいことを始めてもすぐにやめてしまう。

a. 飽きっぽい	b. 幼い	c. きびしい	d. 行儀が悪い	e. おとなしい

第2回 実戦練習（じっせんれんしゅう）

問題1 （　　）に入れるのに最もよいものを、1・2・3・4から一つえらびなさい。

① 山田さんの息子さんは、きちんとあいさつができる（　　　）子だ。

1 大人しい　　2 礼儀正しい（れいぎただしい）　　3 器用な　　4 真剣な

② グループの（　　　）として、皆（みな）の意見をまとめて発表します。

1 ライバル　　2 リーダー　　3 メンバー　　4 タイプ

③ 次回の作文は、パソコンで（　　　）、提出（ていしゅつ）してください。

1 つないで　　2 打って　　3 引用（いんよう）して　　4 打ち合わせて

④ 就職（しゅうしょく）したくても、（　　　）を持っていなければ、面接（めんせつ）に合格するのは難しいだろう。

1 名刺（めいし）　　2 応募（おうぼ）　　3 募集（ぼしゅう）　　4 資格（しかく）

⑤ 授業をサボってばかりいたから、英語の（　　　）を落としてしまった。

1 単位（たんい）　　2 専門（せんもん）　　3 責任（せきにん）　　4 評価（ひょうか）

⑥ ホテルのサービスがとてもよかったので、両親は（　　　）ようだ。

1 わくわくした　　2 期待（きたい）した　　3 緊張（きんちょう）した　　4 満足（まんぞく）した

⑦ もっと（　　　）をとるようにすると、体の調子がよくなると思います。

1 ストレス　　2 ビタミン　　3 ワクチン　　4 ウイルス

⑧ 先週、スイカの種（たね）を植えたばかりなのに、今朝見たら、もう芽（め）が（　　　）いた。

1 散って　　2 生（は）えて　　3 出て　　4 なって

⑨ 子どものころからの夢が（　　　）なんて思っていなかった。とてもうれしい。

1 かなう　　2 できる　　3 抱く　　4 持つ

⑩ 私たちは、地球温暖化（おんだんか）をもっと（　　　）問題として考えるべきだ。

1 苦手な　　2 深刻（しんこく）な　　3 消極的（しょうきょくてき）な　　4 精神的な

問題２　＿＿＿に意味が最も近いものを、１・２・３・４から一つえらびなさい。

① 彼女は、わがままなことばかり言って、彼を困らせた。

1　勝手な　2　平凡(へいぼん)な　3　失礼な　4　乱暴(らんぼう)な

② 私と小林さんは、いいライバルです。

1　仲間同士　2　競争(きょうそう)相手　3　同級生　4　仲良し

③ 学費(がくひ)をかせぐために、３つアルバイトをしている。

1　貸す　2　得(え)る　3　増やす　4　ためる

④ この画面(がめん)で検索(けんさく)すれば、探している本がどこにあるか、すぐにわかりますよ。

1　アクセスすれば　2　探せば　3　見れば　4　調節(ちょうせつ)すれば

問題３　つぎのことばの使い方として最もよいものを、一つえらびなさい。

① ユーモア

1　先輩は、飲み会に行っても、多くお金を払ってくれない。ユーモアがない人だ。

2　彼女は、ユーモアがあって、一緒にいるととても楽しい。

3　英語の先生は、毎回、単語テストをする。ユーモアのある先生だ。

4　彼はまだ若いのに、本当にいいユーモアをしている。

② 専攻(せんこう)

1　今日の発表のために、昨晩から専攻して準備した。

2　もっと研究を続けたいと思い、大学院を専攻することにした。

3　林教授(きょうじゅ)は、大学時代、物理学を専攻していて、大きな賞をとったこともあるそうだ。

4　先生が来るまで静かに専攻していてください。

③ 防(ふせ)ぐ

1　警察(けいさつ)は、交通事故の数を防ぐために、いろいろと対策(たいさく)を考えている。

2　祖母にすすめられた風邪(かぜ)薬は、すぐに防ぐからいい。

3　夜更(よふ)かしをして、睡眠(すいみん)を防ぐのは体によくないですよ。

4　毎日少しずつ運動していれば、大きな病気を防ぐことができます。

31 どんなもの？ どんなこと？

What kinds of things? ／怎样的东西？怎样的事情？／어떤 것？ 어떤 일？

●様子・状態（ようす・じょうたい）

Appearance & state／样子・状态／모습 상태

基本的な知識（きほんてき ちしき）	basic knowledge／基础知识／기본적인 지식
重要な資料（じゅうよう しりょう）	important data/materials／重要的资料／중요한 자료
正確な情報（せいかく じょうほう）	accurate information／正确的信息／정확한 정보
完全なデータ（かんぜん）	complete data／完整的数据／완전한 데이터
さまざまな料理（りょうり）	various dishes／各种料理／각양각색 요리
豊かな自然（ゆた しぜん）	abundant nature／丰富的自然／풍부한 자연
貧しい家庭（まず かてい）	poor family／贫穷的家庭／가난한 가정
親しい関係（した かんけい）	close relations／亲密的关系／친한 관계
詳しい地図（くわ ちず）	detailed map／详细的地图／상세한 지도
あいまいな返事（へんじ）	ambiguous reply／含糊的回复／애매한 답
激しい雨（はげ あめ）	torrential rain／很大的雨／심한 비
夢中で読む（むちゅう よ）	to read avidly／读得入迷／자기를 잊고 열중하여 읽다
高価な品物（こうか しなもの）	expensive item／高价的商品／고가인 물건
無駄な努力（むだ どりょく）	futile effort／努力白费／헛된 노력
国際的な会議（こくさいてき かいぎ）	international conference／国际性的会议／국제적인 회의
可能な計画（かのう けいかく）	feasible plan／有可能的计划／가능한 계획
⇔不可能な（ふ）	impossible／不可能的／불가능한

●形（かたち）

Shape／形状／형태

平らな場所（たい ばしょ）	flat place／平坦的地方／평평한 장소
険しい山道（けわ やまみち）	rugged mountain path／险恶的山路／험준한 산길
鋭いナイフ（するど）	sharp knife／尖锐的刀／날카로운 칼

●判断・評価（はんだん・ひょうか）

Judgment & assessment／判断・评价／판단 평가

当然の結果（とうぜん けっか）	natural result／理应如此的结果／당연한 결과
▶当たり前（あ まえ）	natural, obvious／当然／당연
意外な方法（いがい ほうほう）	surprising method／意外的方法／의외의 방법
くだらない本（ほん）	worthless/stupid book／无聊的书／시시한 책
つまらない話（はなし）	boring/trifling talk／无聊的话／재미없는 이야기
あやしい男（おとこ）	suspicious man／奇怪的男子／수상한 남자
ぜいたくな生活（せいかつ）	extravagant lifestyle／奢侈的生活／사치스러운 생활
満足な結果（まんぞく けっか）	satisfying result／满足的结果／만족스러운 결과
⇔不満な（ふ）	dissatisfying／不满的／불만인

●気持ち（きも）

Feelings／心情／기분

不安な日々（ふあん ひび）	uneasy days／不安的日子／불안한 나날
恐ろしい事件（おそ じけん）	frightening incident／可怕的事件／무서운 사건
うらやましい	envious／羡慕／부럽다
負けて悔しい（ま くや）	to feel frustrated from losing／输了很遗憾／져서 분하다
胸が苦しい（むね くる）	to feel agonized／心里面痛苦／가슴이 답답하다
不思議な出来事（ふしぎ できごと）	strange occurrence／不可思议的事情／이상한 일
幸せな家庭（しあわ かてい）	happy family／幸福的家庭／행복한 가정
なつかしい場所（ばしょ）	place that brings back fond memories／让人怀念的地方／그리운 장소
興味深い話（きょうみぶか）	interesting talk／让人感兴趣的谈话／흥미 깊은 이야기

退屈な話 boring/tedious talk／无聊的话／지루한 이야기

面倒な仕事 troublesome job／麻烦的工作／귀찮은 일

●感覚 Sensations／感觉／감각

背中がかゆい back is itchy／背上发痒／등이 가렵다

息が臭い breath stinks／呼吸出来的气臭、口臭／입 냄새가 심하다

光がまぶしい light is blinding／耀眼的光芒／빛이 눈 부시다

蒸し暑い夜 muggy night／闷热的夜晚／무더운 밤

楽な仕事 easy job／开心的工作／편한 일

CD 31

例文

①森さん、ギターをやるんですか⁉　音楽にはあまり興味がないと思っていたから**意外**です。

②そんな**あいまいな**言い方はしないで、はっきり言ってください。

③「この映画はどう？」「だめ、だめ。あまりに**くだらなくて**、途中で見るの、やめたよ」

④子どもの頃は**夢中**になってボールを追いかけていました。

⑤えっ、そんなことを言ったんですか。彼女が怒るのも**当然**ですよ。

ドリル

つぎの文の（　　）に合うものをａ～ｅの中から一つ選びなさい。

1）

①この前の試合では、1点差で負けて、（　　　）思いをした。

②寝る前に怖い映画を見たせいで、（　　　）夢を見てしまった。

③あの山の頂上に行くには、（　　　）道を登らなければならない。

④ちょっと待って。食べすぎて、お腹が（　　　）。

a. あやしい	b. 苦しい	c. 悔しい	d. 恐ろしい	e. 険しい

2）

①（　　　）な書類をなくしてしまい、部長にひどく怒られた。

②1時間に1本しかないのに、バスに乗り遅れて、時間を（　　　）にしてしまった。

③明日、出席する人の（　　　）な人数を教えてください。

④（　　　）な物は買ってあげられないけど、何かプレゼントしたい。

a. 正確	b. 重要	c. 無駄	d. 高価	e. 可能

32 どのように？

In what way?／怎样的？／어떻게？

●いつ？ When?／什么时候？／언제？

- **あとで電話(でんわ)する** to phone later／一会儿电话／나중에 전화하다
- **いつか結婚(けっこん)する** to get married sometime／总会结婚的／언젠가 결혼하다
- **まず基本(きほん)を覚(おぼ)える** to learn the basics first／首先，要记住基本知识／우선 기본을 외우다
- **そろそろ帰(かえ)る** to be going home soon／快回来／슬슬 돌아가다
- **いきなり頼(たの)む** to request unexpectedly／突然拜托／갑자기 부탁하다
- **突然(とつぜん)、現(あらわ)れる** to appear suddenly／突然出现／돌연히 나타나다
- **ずっと待(ま)つ** to keep waiting／一直等着／쭉 기다리다
- **しばらく休(やす)む** to rest/take off work for a while／休息一会儿／한동안 쉬다
- **あっという間(ま)に** in a flash／一瞬间／순식간에
- **いつの間にか** before noticing it／不知不觉／어느 사이엔가

●どのように？ In what way?／怎样的？／어떻게？

- **本当(ほんとう)に** really／真的／정말로
- **自由(じゆう)に選(えら)ぶ** to choose freely／自由选择／자유롭게 선택하다
- **正確(せいかく)に書(か)く** to write accurately／正确书写／정확하게 쓰다
- **具体的(ぐたいてき)に言(い)う** to say specifically／具体地说／구체적으로 말하다

●どんな気持(きも)ち・考(かんが)え？

What kind of feeling/thought?／怎样的心情・想法？／어떤 기분· 생각？

- **やっと会(あ)えた** met at last／终于见到了／간신히 만나다
- **とうとう壊(こわ)れた** finally broke／终于坏掉了／마침내 부서졌다
- **ついに完成(かんせい)した** was completed at last／终于完成了／마침내 완성했다
- **なるべく早(はや)く** as soon as possible／尽量早一些／가능한 한 빨리
- **やはり〔やっぱり〕負(ま)けた** lost as I expected／还是输了／역시 졌다
- **意外(いがい)に軽(かる)い** surprisingly light／出奇地轻／뜻밖에 가볍다
- **とにかく急(いそ)ぐ** just hurry／总之很着急／어쨌든 서두르다
- **ぜひ会(あ)いたい** really want to meet／务必想见上一面／꼭 만나고 싶다
- **もちろんＯＫ** of course it's okay／当然ok了、当然没问题了／물론ＯＫ
- **わざと負(ま)ける** to lose on purpose／故意输掉了／일부러 지다
- **きっと会(あ)える** will definitely meet／一定能再见面的／틀림없이 만날 수 있다
- **実(じつ)は優(やさ)しい** is easy actually／非常温柔／실은 상냥하다
- **たしか独身(どくしん)** is single, I believe／确实是独身的／분명히 독신

●どの程度(ていど)？ To what extent?／怎样的程度？／어느 정도？

- **かなり安(やす)い** pretty cheap／很便宜／꽤 싸다
- **ずいぶん古(ふる)い** very old／太旧／상당히 낡다
- **ものすごく痛(いた)い** incredibly painful／非常疼／무척 아프다
- **だいぶ上達(じょうたつ)した** improved substantially／进步了好多／상당히 잘하게 됐다
- **結構(けっこう)好(す)き** to like it quite a bit／非常喜欢／꽤 좋아함
- **まあまあおいしい** to taste so-so／味道一般吧／그럭저럭 맛있다

たまに会う to meet occasionally／偶尔见面／가끔 만나다

たいてい断る to turn down usually／大都拒绝了／대체로 거절한다

少しずつ食べる to eat little by little／只吃一点儿／조금씩 먹다

一度にたくさん lots at one time／一次很多地／한번에 많이

いっぺんに運ぶ carry all at once／一下子搬走／한꺼번에 나르다

普段(は)静か is normally quiet／平时安静／보통은 조용함

普通(は)行かない don't go usually／平时不去／보통은 가지 않는다

●その他

結局やめる to quit in the end／最终还是停止／결국 그만두다

CD 32

例文

①**いきなり**そんなこと言われても、すぐには返事できないよ。

②「この店、よく来るの？」「**たまに**ね」

③**一度**にたくさんは持てないから、何回かに分けて運びましょう。

④平日にしては、**ずいぶん**人が多いなあ。何かイベントがあるのかなあ。

⑤２時間も話し合ったのに、**結局**何も決まらなかった。

ドリル

つぎの（　　　）に合うものをａ～ｅの中から一つ選びなさい。

1）

①先生が何回も説明してくれて、（　　　）意味がわかりました。

②（　　　）しか会えないけれど、さくらさんとはとても仲がいいです。

③（　　　）探したけれど、私の番号はどこにも見つからなかった。

④さっきまで晴れていたのに、（　　　）強い雨が降りだした。

a. たまに	b. わざと	c. やっと	d. 突然	e. しばらく

2）

①明日は10時に集合ですが、（　　　）早く来て準備を手伝ってください。

②ここ、もっと高い店かと思ったけど、（　　　）安かったね。

③「明日の試合、見に行く？」「（　　　）行くよ」

④（　　　）伝えられるように、話を聞きながらメモをとっていました。

a. なるべく	b. 意外に	c. もちろん	d. きっと	e. 正確に

33 位置・方向
いち　ほうこう

Position & direction／位置・方向／위차 방향

●位置・方向
いち　ほうこう

Position & direction／位置・方向／위차 방향

表 おもて　front／表面／겉면

裏 うら　back／背面／뒤

中央 ちゅうおう　center／中间、中央／중앙

道路の端 どうろ　はし　road edge/shoulder／道路的两旁／도로 끝

部屋の隅 へや　すみ　room corner／房间的角落／방구석

奥 おく　back, inner, depth／里面／구석

底 そこ　bottom／底部／바닥

正面 しょうめん　front／正面／정면

例：正面玄関、正面のビル（れい　げんかん）

向かいの家 む　いえ　house opposite／对面的家／건너편 집

斜め なな　catercorner, diagonal／斜对面／비스듬함

例：斜め前のビル（まえ）

隣の席 となり　せき　seat next to／旁边的座位／옆좌석

▶**手前** てまえ　before, this side of／（自己的）面前、这边／바로 앞

▶一つ手前の駅、50メートル手前（ひと　えき）

先 さき　ahead, beyond／前面、前方／앞

▶一つ先の信号、もう少し先（しんごう　すこ）

辺り あた　vicinity／附近／주변

例：この辺り、駅の辺り

～側 がわ　~ side／～側／~측

例：右側、南側、窓側（みぎ　みなみ　まど）

公園の周り こうえん　まわ　around the park／公园周围／공원 주변

▶**周辺の環境** しゅうへん　かんきょう　surrounding environment／周围的环境／주변환경

同じ方向 おな　ほうこう　same direction／同一个方向／같은 방면

▶**逆の方向** ぎゃく　opposite direction／相反的方向／반대 방면

向き む　direction, orientation／朝、向／방향

▶右向き、南向き、向きを変える（か）

●道路・道
どうろ　みち

Roads & paths／道路・路／도로· 길

交差点 こうさてん　intersection／十字路口、交叉点／교차로

四つ角 よ　かど　crossroads, street corner／十字路口、交叉点／네거리

歩道 ほどう　sidewalk／人行道／보도

横断歩道 おうだん　pedestrian crossing／人行横道／횡단보도

車道 しゃ　road／行车道／차도

突き当たり つ　あ　end of the road／尽头／막다른 곳

踏切 ふみきり　railroad crossing／道口、岔口。公路与铁路的交叉点／철도 건널목

横切る（道を） よこぎ　to cross／横穿／횡단하다

沿って（道に） そ　to follow／沿着／따라

道に迷う まよ　to get lost／迷路／길을 헤매다

CD 33 **例文**

①「もしもし、今、どこ？」「ごめん、道に**迷っ**ちゃって。郵便局の向かいにいる」
②「この**辺り**にコンビニありませんか」「そこの**信号**を右に**曲がると**、すぐですよ」
③「この紙袋、**底**が破れないかなあ？」「だいじょうぶよ」
④駅の北口を出たら、**斜め**前に本屋さんがあるから、そこに来てください。
⑤〈タクシーで〉そこの**交差点**をまっすぐ行って、バス停の**手前**でとめてください。

ドリル

1）つぎの（　　）に合うものをａ～ｅの中から一つ選びなさい。

①家のカギがないと思ったら、部屋の(　　　)に落ちていた。
②会場の(　　　)は何もないから、お昼ごはんを用意して行ったほうがいいよ。
③「さくらさんの家はどこ？」「ほら、その道の(　　　)。あのマンション」
④「そのシャツ、表裏を(　　　)に着てない？」「ほんとだ！　ありがとう」

a. 周辺	b. 隅	c. 逆	d. 歩道	e. 突き当たり

2）つぎの（　　）に合うものを下の語から一つ選び、必要があれば形を変えて入れなさい。

①ここから二つ目の角を（　　　　）て、５分くらい行くと学校です。
②ネコの親子が、通りをゆっくり(　　　　)て行った。
③「ここに来るとき、(　　　　)なかった？」「ううん。駅の向かいだし、すぐわかったよ」
④線路に(　　　　)しばらく行くと、５階建ての茶色いビルが見えます。

横切る	左折する	直進する	沿う	迷う

33 位置・方向

34 擬音語・擬態語①

Mimetic expressions ①／拟声词・拟态词 ① ／의성어 의태어 ①

●音 Sound／声音／소리

ざあざあ／ぱらぱら／わいわい

雨が**ざあざあ**降っていて、外に出られなかった。

It was raining cats and dogs, so we couldn't go out.／雨下得哗啦啦的，出不起。／비가 주룩주룩 내려 밖에 나갈 수 없었다.

ぱらぱら降っているけど、かさがなくても大丈夫です。

It's sprinkling, but not enough that you need an umbrella.／下的是星星点点点的小雨，没有伞也没关系。／후드득후드득 내리고 있지만, 우산이 없어도 괜찮습니다.

みんなで**わいわい**バーベキューをするのも、楽しそうですね。

It would also be fun to get everyone together for a rousing barbecue.／大家嘻嘻哈哈地在烤肉，看起来很开心。／모두가 왁자지껄 바비큐를 하는 것도 즐거울 것 같습니다.

●笑う Smile／笑／웃다

にこにこ／にっこり

原先生はいつも**にこにこ**していて、優しい先生ですよ。

Mr. Hara is a kind teacher who's always smiling.／原老师总是笑眯眯的，是个很和善的老师。／하라 선생님은 항상 싱글벙글 웃으시는 친절한 선생님입니다.

手を振ったら、**にっこり**笑ってくれた。

She beamed at me when I waved to her.／我招招手，对方对我莞尔一笑。／손을 흔드니 방긋 웃어 주었다.

●見る Look／看／보다

じっと／じろじろ

気がついたら、ネコが**じっと**こっちを見ていた。

I didn't notice right away, but a cat had been staring at me. ／等我回过神来，猫一动不动地看着这里。／알아채니 고양이가 가만히 이쪽을 보고 있었다.

人の顔を**じろじろ**見ないでくださいよ。

Stop gawking at me.／别目不转睛地盯着别人看。／사람의 얼굴을 빤히 보지 말아 주세요.

●話す Soeak／说话／말하다

ぶつぶつ／ひそひそ／ぺらぺら

あの人は、**ぶつぶつ**文句ばかり言う。

He's always griping about something.／那个人老是嘟嘟嘟嘟地发牢骚。／저 사람은 투덜투덜 불평만 말한다.

二人で何を**ひそひそ**話しているんですか。

What are you two whispering about? ／那两个人在窃窃私语地说着什么？／두 사람이 무엇을 소곤소곤 말하고 있습니까?

彼女はアメリカ育ちで、英語が**ぺらぺら**なんです。
She grew up in the US, so she speaks English fluently.／她是美国长大的，英语很流利。／그녀는 미국에서 자라 영어를 술술 이군요.

●食べる・飲む Eat & drink／吃・喝／먹다 마시다

ぺこぺこ／ごくごく

もう、おなかが**ぺこぺこ**。早く食べよう。
I'm starving. Let's eat soon.／肚子饿坏了。赶紧吃吧。／이제 배가 몹시 고프다. 빨리 먹자.

父はさっそく、おいしそうにビールを**ごくごく**飲んだ。
Right away Dad started chugging down some beer with gusto.／父亲马上就咕噜咕噜地香喷喷地喝起了啤酒。／아버지는 당장 맛있다는 듯이 맥주를 꿀꺽꿀꺽 마셨다.

●状態 Condition／状态／상태

はっきり／すっかり

あの日のことは、**はっきり**覚えています。
I still vividly remember what happened that day.／那天的事情，我都记得很清楚。／그 날의 일은 확실히 기억하고 있습니다.

「かぜは治りましたか」「はい。**すっかり**よくなりました」
"Have you gotten over your cold?" "Yes, I'm back in tip-top shape."／"感冒治好了吗？""嗯，已经完全治好了。"／"감기는 나았습니까?" "네. 아주 좋아졌습니다."

●正しく・よく Right & well／正确・认真地、经常／바르게 잘

しっかり／きちんと／ちゃんと／うっかり

a) 風で開かないよう、ドアを**しっかり**閉めてください。b) **しっかり**食べて、早く元気になってね。
a)Shut the door tight so that the wind doesn't blow it open. b)Be sure to eat well so that you can get better soon.／a)请关好门，别让风吹开了。b)多吃点，希望你早日康复。／a)바람에 열리지 않도록 문을 확실히 닫아 주세요. b)잘 먹고 빨리 건강해져.

原さんの机はいつも**きちんと**片づいていて、きれいだね。
Hara's desk looks neat because she always keeps it tidy.／原先生的桌子上总是收拾得很干净。／하라 씨의 책상은 항상 깔끔히 정리돼 있어 깨끗하다.

借りたものは、**ちゃんと**返さないとだめだよ。
Whenever you borrow something, you should always make sure to return it.／借的东西一定要还掉。／빌린 것은 제대로 돌려주지 않으면 안 된다.

電話するのを**うっかり**忘れた。
I completely forgot to call them.／我不小心忘记打电话了。／전화하는 것을 깜빡 잊었다.

●変化 Change／变化／변화

ますます／だんだん／どんどん

この映画を見て、**ますます**彼女のファンになった。
I became an even bigger fan of her after seeing this movie.／看了这部影片，我渐渐成了她的影迷了。／이 영화를 보고 더욱 그녀의 팬이 되었다.

朝はあんなに曇ってたのに、**だんだん**晴れてきた。
Even though it had been so cloudy in the morning, the sky got clearer and clearer as the day went on.／早上还是阴天，渐渐就转晴了。／아침에는 그렇게 흐렸는데 점점 맑아졌다.

地下鉄が通ってから、この辺りは、新しいマンションが**どんどん**増えている。
Condos have been going up one after another in this area ever since the subway was opened up.／自从地铁开通后，这附近不断地增建新公寓。／지하철이 통과되고 나서 이 부근은 새로운 아파트가 속속 늘고 있다.

CD 34

例文

①「話を聞いて、ワンさんは**にっこり**笑ってたよ」「うれしかったんだろうね」
②もちろん、面接の時は、**きちんとした**かっこうで行きます。
③ああ、おなかが**ぺこぺこ**。今日、お昼ごはん食べてないんだ。
④「CD、持ってきてくれた？」「ごめん、**すっかり**忘れてた。明日、絶対持ってくるよ」
⑤「遠慮しないで**どんどん**食べてくださいね」「ありがとうございます。いただきます」

ドリル

つぎの（　　　）に合うものをa～eの中から一つ選びなさい。

1）
①「原さんは美人だけど、最近（　　　）きれいになってるね」「恋をしているのかなあ」
②冷たいのに、そんなに（　　　）飲んでだいじょうぶ？　もう少しゆっくり飲んだら？
③「森さんって、英語が（　　　）なんだね」「以前、イギリスに留学してたんだって」
④わからない言葉がたくさんあるけど、（　　　）会話が聞き取れるようになった。

a. ぺらぺら	b. ごくごく	c. だんだん	d. ぶつぶつ	e. ますます

2）
①しまった！（　　　）して、予約するの忘れてた！
②田中さんからは、出席か欠席か、まだ（　　　）返事をもらっていない。
③薬を飲んで、一晩寝たら、痛みは（　　　）なくなっていた。
④毎日（　　　）勉強してたのに、不合格だった。

a. うっかり	b. ちゃんと	c. すっかり	d. はっきり	e. じっと

35 擬音語・擬態語②

Mimetic expressions ②／拟声词・拟态词②／의성어 의태어②

●楽しい気持ち Pleasant feelings／心情高兴／즐거운 기분

生き生きする／わくわくする

好きな野球をしている時の彼は、本当に**生き生き**している。

He really looks full of life whenever he's at his favorite pastime of playing baseball.／打着自己喜欢的棒球的他，真是生龙活虎啊！／좋아하는 야구를 할 때의 그는 정말로 생기가 있다.

どんな留学生活が待っているか、今から**わくわく**している。

I'm already excited about discovering the experiences that wait for me when I go study abroad.／什么样的留学生活等着我呢，心里面真是扑通扑通的。／어떤 유학생활이 이어지는지 지금부터 설렌다.

●いやな気持ち Unpleasant feelings／心情不舒服／싫은 기분

いらいらする／むっとする／うんざりする／むかむかする

バスがなかなか来なくて、**いらいら**した。

I had to keep waiting and waiting for a bus to come, so I got irritated.／公车老是不来，心里很着急。／버스가 좀처럼 오지 않아 초조했다.

失礼なことを言われて、**むっと**してしまった。

I got annoyed at having something rude said to me.／别人说了些不礼貌的话，挺不开心。／실례인 말을 들어서 화가 났다.

毎日毎日残業で、ちょっと**うんざり**しています。

I'm starting to get sick of having to work overtime day after day.／天天加班，都有些腻了。／매일매일 잔업이어서 조금 진절머리가 나 있습니다.

胃が**むかむか**して、ちょっと吐きそうになりました。

My stomach got queasy, so I felt a bit nauseous.／有些反胃，有些想吐。／위가 메슥메슥하여 조금 토할 것 같습니다.

●そのほかの気持ち Other feelings／其它的心情／그 밖의 기분

どきどきする／ほっとする／すっきりする／のんびりする

大勢の前でスピーチするのは初めてだったので、**どきどき**しました。

It was the first time for me to speak in front of a big audience, so I felt nervous.／在很多人面前演讲还是第一次，内心忐忑不安。／많은 사람 앞에서 연설하는 것은 처음이었기 때문에 두근두근했습니다.

父の手術が無事終わって、**ほっと**しました。

I felt relieved once Dad's operation ended without any problems.／父亲的手术做得很成功，我放心了。／아버지의 수술이 무사히 끝나 안심했습니다.

汗をたくさんかいて気持ち悪かったが、シャワーを浴びて**すっきり**した。

I felt gross from being covered in sweat, but I felt much better once I freshened myself up with a shower.／出了很多汗，挺不舒服的，冲了一下澡，清爽多了。／땀을 많이 흘려 기분이 나빴지만, 샤워를 하고 상쾌해졌습니다.

一週間くらい休みをとって、**のんびり**温泉にでも行きたいなあ。

I want to take about a week off and go relax at a hot-spring resort.／真想休息一星期，悠闲地泡泡温泉。／일주일 동안 휴가를 얻어 느긋이 온천이라도 가고 싶다.

●物(もの)の状態(じょうたい)　Condition of things／物体的状态／사물의 상태

ぴかぴか／ごちゃごちゃ／ぼろぼろ／ばらばら／ぴったり／びしょびしょ／たっぷり

「そのギター、買(か)ったの？」「そう。**ぴかぴか**の新品(しんぴん)。いいでしょ」

"Did you buy that guitar?" "Yeah, it's sparkling new. Pretty cool, huh?"／"那个吉他，买了吗？""嗯，闪闪发亮的新产品。真不错。"／" 그 기타, 샀니?" "응. 번쩍번쩍하는 신품. 좋지?"

▶**中古(ちゅうこ)**　secondhand／旧的／중고

駅(えき)は**ごちゃごちゃ**してわかりにくいから、会場(かいじょう)の入口(いりぐち)で会(あ)いましょう。

It'll be hard to find each other at the train station since it's always chaos there, so let's meet at the venue entrance.／车站乱七八糟的，不好认识路。在会场门口见面吧。／역은 어수선하여 알기 어려우니까 모임장소의 입구에서 만납시다.

そのジーンズ、何年(なんねん)はいてるの？　よくそんな**ぼろぼろ**になるまではいてるね。

How many years have you been wearing those jeans? I can't believe that someone would keep wearing clothes till they get that worn out.／那条牛仔裤，穿了多少年了？真能穿啊，能穿得这么破。／그 청바지, 몇 년 입고 있니? 잘도 그렇게 너덜너덜해 질 때까지 입는구나.

番号順(ばんごうじゅん)にきちんと並(なら)べていたのに、いつの間(ま)にか、**ばらばら**になっている。

We had them all lined up in numerical order, but they became all jumbled up before we knew it.／本来按照顺序摆好的，不知什么时候，又乱七八糟了。／번호순으로 제대로 늘어놓았는데 어느새 인지 따로따로 되어 있네.

〈くつ屋(や)で〉さっきのはちょっと大(おお)きかったけど、これだと、**ぴったり**。

(At a shoe store) The ones I tried on a second ago were too loose, but these fit just right.／〈在鞋店〉刚才的有点儿送，这个刚刚好。／〈구두 가게에서〉 아까는 조금 헐렁했는데 이것은 딱 맞는다.

急(きゅう)に雨(あめ)が降(ふ)ってきて、**びしょびしょ**になった。

It started raining unexpectedly, so I got soaked from head to toe.／突然下起雨来，全身都淋湿了。／갑자기 비가 내려 흠뻑 젖었어.

ここのカレーはお肉(にく)が**たっぷり**入(はい)っているから、男(おとこ)の人(ひと)に人気(にんき)がある。

This curry is popular with men because it's loaded with meat.／这里的咖喱饭里面放好多肉，很受男士们的欢迎。／이곳의 카레는 고기가 듬뿍 들어 있어서 남자에게 인기가 있다.

●状態(じょうたい)・程度(ていど)　Condition & degree／状态・程度／상태 정도

そっと／さっさと／ざっと／じっくり／ぐっすり／ぎりぎり／そっくり

その箱(はこ)、中(なか)にグラスが入(はい)ってるので、**そっと**置(お)いてください。

That box contains glasses, so set it down gently.／那个箱子方有玻璃杯，请小心点儿放。／그 상자, 안에 유리잔이 들어 있어서 살짝 놓아 주세요.

さっさと起(お)きたら？　また遅刻(ちこく)するよ。

How about getting up now? You'll be late again.／赶紧起床了，要迟到了啊。／빨리 일어나면 어때？ 또 지각해.

ざっと読(よ)んだだけですが、特(とく)に問題(もんだい)はないと思(おも)います。

I only skimmed through it, but I don't think there's anything wrong with it.／大致读了一下，我认为没有什么特别的问题。／대충 읽었을 뿐입니다만, 특히 문제는 없다고 생각합니다.

まだ時間(じかん)はあるので、**じっくり**考(かんが)えてください。

There's still time, so think about it carefully.／还有时间的，请好好思考。／아직 시간이 있으니까 가만히 생각해 주세요.

今日(きょう)は疲(つか)れたみたいで、子どもたちは**ぐっすり**眠(ねむ)っている。

The kids are sound asleep, probably because they got really worn out today.／看来今天太累了，孩子们都睡得很香。／오늘은 피곤한 것 같아 아이들은 푹 잠들어 있다.

途中でだめかと思ったけど、**ぎりぎり**間に合った。
As I rushed there I thought I wouldn't make it, but I arrived in the nick of time.／我认为途中肯定不行了，不过，还是勉强赶上了。／도중에 안될 것이라고 생각했지만, 간신히 시간에 댔다.

あの親子は本当に**そっくり**。声まで似てるね。
That guy and his son are practically identical. Even their voices sound the same.／那对父子真是一模一样。连声音都很相似。／저 부모와 자식은 정말로 똑 닮았다. 목소리까지 닮았구나.

CD 35 **例文**

①「明日からの沖縄旅行、**わくわく**する」「ほんと。すごく楽しみ」
②「店、まだ開いてるかな？」「8時までだから、**ぎりぎり**間に合うんじゃない？」
③「薬を飲んで**ぐっすり**寝れば、すぐによくなりますよ」「わかりました」
④彼とけんかしたけど、言いたいことを言ったら、**すっきり**した。
⑤年も職業も**ばらばら**だけど、うちのチームはみんな、仲がいいんです。

ドリル

つぎの（　　）に合うものをａ～ｅの中から一つ選びなさい。

1）
①みんな（　　）なことを言うから、意見が全然まとまらない。
②「娘の就職がやっと決まって、（　　）しました」「そうですか。よかったですね」
③そんなに（　　）しないで。こっちまで気分が悪くなる。
④食事が済んだら、（　　）食器を片づけて。

a. ばらばら	b. いらいら	c. ほっと	d. どきどき	e. さっさと

2）
①また雨？　こんな天気ばかり続いて、（　　）するね。
②「田中さんの机、いつも（　　）してるね」「必要なものだけ置いているからね」
③こんどの週末は、家族と（　　）過ごしたいと思います。
④〈不動産屋で〉お客様のご希望に（　　）のお部屋があります。

a. じっくり	b. すっきり	c. ぴったり	d. うんざり	e. のんびり

36 複合動詞①(ふくごうどうし)

Compound verbs ①／复合动词①／복합동사①

●～合(あ)う

知(し)り合う	to get to know one another／认识／서로 알다
話(はな)し合う	to discuss together／谈话、商议／서로 이야기하다
互(たが)いに助(たす)け合う	to help one another／互相帮助／서로 돕다
抱(だ)き合う	to hug (each other)／相互拥抱／안다

●～上(あ)がる・上げる

ベッドから起(お)き上がる	to get out of bed／从床上起来／침대에서 일어나다
テーマに取(と)り上げる	to take up as a theme／作为课题提出来／주제로 삼다
箱(はこ)を持(も)ち上げる	to pick up a box／拿起箱子／상자를 들어 올리다
論文(ろんぶん)を書(か)き上げる	to finish writing a paper／写完论文／논문을 써내다

●～出(だ)す

作品(さくひん)を生(う)み出す	to create a work／产生作品／작품을 만들어내다
箱(はこ)から取(と)り出す	to take out of a box／从箱子里取出来／상자에서 꺼내다
呼(よ)び出す(人(ひと)を)	to summon／叫出来／불러내다
部屋(へや)から追(お)い出す	to chase/kick out of a room／从房间里赶出来／방에서 내쫓다
急(きゅう)に泣(な)き出す	to start crying suddenly／突然哭了出来／갑자기 울다
走(はし)り出す	to start running／跑起来／달리기 시작하다
降(ふ)り出す(雨(あめ)が)	to start falling/raining／下起来／내리기시작하다

●～直(なお)す

書(か)き直す	to rewrite／重新写／다시 쓰다
かけ直す(電話(でんわ)を)	to call again／重新拨打(电话)／다시 걸다
答(こた)えを見(み)直す	to look over answers again／重新看看答案／답을 다시 보다
考(かんが)え直す	to rethink／重新思考／다시 생각하다
作(つく)り直す	to remake／重新做／다시 만들다

●～かえる

着替(きが)える	to change clothes／换衣服／갈아입다
電池(でんち)を取(と)り替(か)える	to replace batteries／换电池／건전지를 바꾸다
入(い)れ替える	to replace, to substitute／替换／바꾸어 넣다

●～込(こ)む

申(もう)し込む	to apply／申请／신청하다
▶申込書(もうしこみしょ)	application form／申请表／신청서
用紙(ようし)に書(か)き込む	to fill out the form／填入规定用纸内／용지에 써 넣다
荷物(にもつ)を押(お)し込む	to stuff one's belongings／塞行李／짐을 밀어넣다

●～きる

全部(ぜんぶ)食(た)べきる	to eat it all／全部吃完／전부 다 먹다
使(つか)いきる	to use up／用完／끝까지 다 쓰다
数(かぞ)えきれない	to be uncountable／数不清／다 셀 수 없다

●～始める

食べ始める to start eating／开始吃／먹기 시작하다

習い始める to start learning／开始学／배우기 시작하다

咲き始める to start blossoming／开始盛开／피기 시작하다

●～過ぎる

食べすぎる to eat too much／吃太多／너무 먹다

忙しすぎる to be too busy／太忙／너무 바쁘다

遅すぎる to be too late, to be too slow／太迟／너무 늦다

若すぎる to be too young／太年轻／너무 젊다

CD 36

例文

①「どうしたの？」「パソコンからＣＤが**取り出せ**なくなっちゃって……」

②もう一度**考え直して**みたけれど、やっぱり、やめることにしました。

③先生へのプレゼントは、みんなで**話し合って**決めました。

④すごい量！　こんなにたくさん**食べきれ**ないよ。

⑤「すみません、書く場所を間違えたんですが」「じゃ、新しいのに**書き直して**ください」

ドリル

つぎの（　　　）に合うものを下の語から一つ選び、必要があれば形を変えて入れなさい。

1）

①合格の知らせを聞いて、母と（　　　　　）喜びました。

②私たちのボランティア活動が、新聞で（　　　　　）られることになった。

③デジカメの調子が悪くなってきたので、そろそろ（　　　　　）ようと思っています。

④最近、仕事が（　　　　　）、どこにも遊びに行けない。

取り上げる	忙しすぎる	抱き合う	言い出す	買い換える

2）

①「スーさん、遅いねえ」「料理が冷めちゃうから、先に（　　　　　）ようか」

②「あっ、雨が（　　　　　）した」「ほんとだ。傘を持ってきてよかったね」

③だめだ。重すぎて、（　　　　　）られない。

④〈電話〉「ごめん、今から電車に乗るの」「じゃ、あとでまた（　　　　　）ね」

持ち上げる	降り出す	かけ直す	食べ始める	泣き出す

37 複合動詞②

Compound verbs ②／复合动词②／복합동사②

●通り～

通りかかる to pass/walk by／恰巧路过／지나가다

例：店の前を通りかかった時、すごくいい匂いがした。

I came across a really pleasant aroma as I passed in front of that shop.／路过那家商店前面，闻到一股香味。／가게 앞을 지나갈 때, 무척 좋은 냄새가 났다.

通り過ぎる to go past／走过、经过／지나치다

例：そのバス停はさっき通り過ぎた。

We just passed that bus stop.／那个公共汽车站刚才已经过了。／그 버스 정류장은 아까 지나쳤다.

●見～

駅まで友だちを**見送る** to see a friend off at a train station／送朋友到车站／역까지 친구를 배웅하다.

駅で友だちを**見かける** to happen to see a friend at a train station／在车站偶尔遇到朋友／역에서 친구를 발견하다.

空を**見上げる** to look up at the sky／仰望天空／하늘을 올려보다.

海を**見下ろす** to look down at the sea／俯瞰大海／바다를 내려보다.

誤りを**見落とす** to fail to notice a mistake／忽略错误／실수를 못 보다

●立ち～

立ち上がる to stand up／站起来／일어나다

例：さあ、立ち上がって、少し歩いてみてください。

All right, please stand up and walk around a little.／好了，站起来，走几步看看。／자, 일어나서 조금 걸어 보세요.

立ち止まる to stop／站住／멈추어 서다

例：立ち止まって、空を見上げた。

I stopped and looked up at the sky／停住脚步，仰望了一下天空。／멈추어 서 하늘을 올려다보다.

●取り～

電池を**取り替える** to replace batteries／换电池／전지를 교환하다

予約を**取り消す** to cancel a reservation／取消预约／예약을 취소하다

アイデアを**取り入れる** to adopt an idea／吸收想法／아이디어를 받아들이다

アンテナを**取り付ける** to install an antenna／安装天线／안테나를 설치하다

●出～

出会うきっかけ opportunity to meet／相遇的机缘／만나는 계기

▶**出会いの場所**

大勢で**出迎える** to greet in a large group／很多人出来迎接／많은 사람이 마중하다

▶**出迎え**に来る

●聞き～

聞き返す to ask again／反问／되묻다

会話を**聞き取る** to follow a conversation／听懂会话／회화를 알아듣다

●その他

言い忘れる to forget to say／忘记说／말하는 것을 잊다

例：何か言い忘れた気がするけど、思い出せない。

I think I've forgotten to say something, but I can't remember what it is.／觉得好像想说什么一样，想不起来了。／무언가 말하는 것을 잊은 것 같은데 생각해 낼 수 없다.

書き間違える to write incorrectly／写错／잘못 쓰다

読み終わる to finish reading／读完／다 읽다

話しかける to address, to talk to／搭话／말을 걸다

前の車を**追い越す** to pass the car in front／超过前面的车／앞차를 추월하다

もう少しで**追いつく** to catch up in a little bit／还差一点儿就能追上／조금 더로 따라붙는다.

仕事を引き受ける to take on a job／接受工作／일을 받아들이다

会場を**歩き回る** to walk around the venue／在会场来回走动／모임 장소를 걸어 다니다

CD 37 **例文**

①「どうしたの？　急に**立ち止まって**」「さっきの店に、かさを置き忘れちゃった」
②「これ、**取り消す**ときは、どうやるんだろう？」「この『戻る』を押せばいいんじゃない？」
③原さんはいすから**立ち上がる**と、こちらに向かって歩いてきた。
④いくつかの小学校で、この方法を**取り入れた**授業を行っています。
⑤「すぐに**追いつく**から、先に行ってて」「わかった。じゃ、ゆっくり歩いてるね」

ドリル

つぎの（　　　）に合うものを下の語から一つ選び、必要があれば形を変えて入れなさい。

1）
①「この通りにあるはずなんだけどなあ」「（　　　　　）ちゃったんじゃない？」
②相手の言葉がよく（　　　　　）なくて、もう一度聞き返した。
③明日、電気屋さんが私の部屋にエアコンを（　　　　　）に来ます。
④久しぶりに、北海道の友だちに会いに行ったら、空港まで（　　　　　）てくれました。

聞き取る	取り付ける	通り過ぎる	立ち止まる	出迎える

2）
①その本、（　　　　　）たら棚に戻しておいてくれる？
②「ねえねえ、お姉ちゃん……」「ごめん、今、電話しているから、（　　　　　）ないで」
③「ねえ、ここ、字が違うよ」「あっ、ほんとだ！　（　　　　　）てた。ありがとう」
④今日は一日（　　　　　）ので、足が痛いです。

歩き回る	出会う	話しかける	読み終わる	見落とす

38 基本動詞①（きほんどうし）

Basic verbs①／基本动词①／기본 동사①

●出る・出す（でる・だす）

Going out & putting out／出去、离开・交出／나오다 내다

授業（じゅぎょう）に出る	to go to class／上课／수업에 나오다
大通り（おおどお）りに出る	to come to a big street／走到大路上／큰길에 나오다
大学（だいがく）を出る	to graduate from college／大学毕业／대학을 나오다
給料（きゅうりょう）が出る	salary is paid／有工资／급료가 나오다
デザートが出る	dessert is served／有点心／디저트가 나오다
熱（ねつ）が出る	to have a fever／发烧／열이 나다
人気（にんき）が出る	to become popular／受欢迎／인기가 생기다
声（こえ）を出す	to vocalize／发出声音／목소리를 내다
宿題（しゅくだい）を出す	to assign homework／交作业／숙제를 내다

●入れる（いれる）

Putting in／放入、开启／넣다

電源（でんげん）を入れる	to switch on／开启电源／전원을 넣다
予定（よてい）を入れる	to schedule／有预定计划／예정을 넣다

●とる

Taking／取／집다

おはしを取（と）る	to pick up chopsticks／拿筷子／젓가락을 집다
～点（てん）を取る	to score ___ points／考取～分／~점수를 따다
メモ・ノートをとる	to take a memo/notes／记录下来、记笔记／메모·노트를 쓰다
コピーをとる	to make copies／复印／복사를 하다
睡眠（すいみん）をとる	to sleep／睡觉／수면을 취하다
許可（きょか）を取る	to get permission／取得许可／허가를 받다
予約（よやく）を取る	to reserve／预约／예약을 하다
出席（しゅっせき）をとる	to check attendance／点名／출석을 부르다
連絡（れんらく）をとる	to contact／取得联系／연락을 취하다
年（とし）をとる	to age／上年纪／나이를 먹다

●かける

Putting on／挂／걸다

鍵（かぎ）をかける	to lock／上锁／열쇠를 잠그다
カバーをかける	to put a cover on／盖上封套／커버를 씌우다
しょうゆをかける	to sprinkle soy sauce on／浇上酱油／간장을 뿌리다
掃除機（そうじき）をかける	to vacuum／用吸尘器／청소기를 돌리다
音楽（おんがく）をかける	to put on music／放音乐／음악을 켜다
電話（でんわ）をかける	to phone／打电话／전화를 걸다
心配（しんぱい）をかける	to cause worry／担心／걱정을 끼치다
迷惑（めいわく）をかける	to cause trouble／找麻烦／폐를 끼치다
声（こえ）をかける	to hail, to contact／打招呼／말을 걸다
ハンガーにかける	to put on a hanger／挂在衣架上／옷걸이에 걸다

●つく・つける

Sticking & attaching／带・开启／묻다 묻히다

汚（よご）れがつく	to become soiled／有污渍／더러움이 묻다
傷（きず）がつく	to be cut/wounded／有伤／상처가 나다
デザートがつく	to include dessert／带点心／디저트가 붙다
連絡（れんらく）がつく	contact is made／有联系／연락이 되다
都合（つごう）がつく	to suit one's schedule/convenience／安排时间／형편이 되다
飾（かざ）りをつける	to decorate／带装饰／장식을 하다
火（ひ）をつける	to light (a flame)／点火／불을 붙이다

電気をつける　to switch on／开电源／전기를 켜다

身につける　to wear／掌握／몸에 익히다

名前をつける　to name／取名字／이름을 붙이다

CD 38

例文

①昨日からワンさんと連絡が**取れない**んです。

②大学を**出て**から、３年間は東京で働いていました。

③今、けがをしたら、試合に**出られなく**なる。

④「かぜ、もう治ったの？」「うん、心配**かけて**ごめんね」

⑤「土曜日、バーゲンに行かない？」「ごめん、もう予定を**入れちゃった**んだ」

ドリル

つぎの（　　　）に合うものを下の語から一つ選び、必要があれば形を変えて入れなさい。

1）

①「何か音楽を（　　　　　　）もいいですか」「どうぞ」

②この道をまっすぐ行くと、大通りに（　　　　　　）ます。

③「あれ？　これ、傷が（　　　　　　）いる」「ほんとだ。昨日買ったばかりなのに」

④「今度のテスト、90点は（　　　　　　）たいなあ」「じゃ、もっと勉強しないと」

つく　　とる　　入れる　　かける　　出る

2）

①「Ｂランチだと、デザートも（　　　　　　）んだって」「じゃ、それにする」

②これは、しょうゆを（　　　　　　）とおいしいよ。

③忘れないように、メモを（　　　　　　）ながら聞いたほうがいい。

④「電源を（　　　　　　）たのに、全然動かないよ」「故障したんじゃない？」

かける　　入れる　　出る　　とる　　つく

39 基本動詞②
きほんどうし

Basic verbs ②／基本动词②／기본 동사②

●立つ・立てる
た

Standing & putting up／站・立、定／서다 세우다

席を立つ（せき）	to leave one's seat／离开座位／좌석에서 서다
看板を立てる（かんばん）	to put up a sign／立广告牌／간판을 세우다
計画を立てる（けいかく）	to form a plan／定计划／계획을 세우다

●上がる・上げる
あ

Rising & raising／上升・提高／올라가다 올리다

値段が上がる（ねだん）	price rises／涨价／가격이 올라가다
速度を上げる（そくど）	to accelerate／提高速度／속도를 올리다
雨が上がる（あめ）	to stop raining／雨停了／비가 그치다

●乗る
の

Getting on／参加／타다

相談に乗る（そうだん）	to give advice／参与商量／상담에 응하다
誘いに乗る（さそ）	to accept an invitation／参加邀请／권함에 응하다
リズムに乗る	to get in rhythm／跟着旋律／리듬을 타다

●見る
み

Looking／看／보다

様子を見る（ようす）	to wait and see, to check the situation／看样子／모습을 보다
状況を見る（じょうきょう）	to examine the situation／看情况／상황을 보다
味を見る（あじ）	to check the taste／尝味道／맛을 보다
面倒を見る（めんどう）	to look after／照顾／보살피다
夢を見る（ゆめ）	to have a dream／做梦／꿈을 꾸다

●聞く
き

Asking／问／묻다, 듣다

道を聞く（みち）	to ask directions／问路／길을 묻다
名前を聞く（なまえ）	to ask someone's name／询问姓名／이름을 묻다
意見を聞く（いけん）	to ask for an opinion／询问意见／의견을 듣다

●ある

Having／有／있다

売店がある（ばいてん）	to have a kiosk／有小卖部／매점이 있다
お祭りがある（まつ）	to have a festival／有节日／축제가 있다
約束がある（やくそく）	to have an appointment／有约会／약속이 있다
時間がある（じかん）	to have time／有时间／시간이 있다
お金がある（かね）	to have money／有钱／돈이 있다
経験がある（けいけん）	to have experience／有经验／경험이 있다
自信がある（じしん）	to have confidence／有自信／자신이 있다
熱がある（ねつ）	to have a fever／发烧／열이 있다

●する

Doing／做、干／하다

けんかをする	to quarrel, to fight／吵架／싸움을 하다
けがをする	to become injured／受伤／상처를 입다
損をする（そん）	to suffer a loss／损失／손해를 보다
⇔得をする（とく）	
指輪をする（ゆびわ）	to wear a ring／戴戒指／반지를 끼다
10万円する（まんえん）	to cost 100,000yen／花10万日元／10만엔 하다
無理をする（むり）	to overdo it／勉强／무리를 하다
話題にする（わだい）	to talk about／以--为话题／화제가 되다
軽くする（かる）	to make lighter／减轻／가볍게 하다

音(おと)がする　to make a sound／带有--声音／소리가 나다

仕事(しごと)ができる　can work／能工作／일을 잘한다

夕食(ゆうしょく)ができる　dinner becomes ready／能吃完饭／저녁밥이 되다

●できる　Being able／能､会／할 수 있다

日本語(にほんご)ができる　can speak Japanese／会日语／일본어를 할 수 있다

CD 39

例文(れいぶん)

①早起(はやお)きすると、ちょっと**得(とく)をした**気分(きぶん)になるね。
②「今(いま)、外(そと)で大(おお)きな**音(おと)がした**ね」「うん。ちょっと見(み)に行(い)ってみよう」
③このファイルは全部紙(ぜんぶかみ)で**できている**ので、そのままリサイクルできます。
④先生(せんせい)には、いつもいろいろ相談(そうだん)に**乗(の)って**もらっています。
⑤「いつお祭(まつ)りが**ある**の？」「たしか、来週(らいしゅう)の土日(どにち)だったと思(おも)う」

ドリル

つぎの（　　　）に合(あ)うものを下(した)の語(ご)から一(ひと)つ選(えら)び、必要(ひつよう)があれば形(かたち)を変(か)えて入(い)れなさい。

1）

①この部屋(へや)、暑(あつ)いですね。エアコンを少(すこ)し強(つよ)く（　　　　　）くれませんか。
②「早(はや)く旅行(りょこう)の計画(けいかく)を（　　　　　）ようよ」「そうだね。どこに行(い)きたい？」
③「あれ、もう帰(かえ)るの？」「今日(きょう)はちょっと約束(やくそく)が（　　　　　）て……」
④彼女(かのじょ)、美人(びじん)だし、仕事(しごと)は（　　　　　）し、うらやましい。

ある	たてる	する	できる	あげる

2）

①「おかしいなあ、この辺(へん)だと思(おも)うんだけど……」「あの人(ひと)に道(みち)を（　　　　　）てみようよ」
②えっ⁉　これ、2万円(まんえん)も（　　　　　）の？　けっこう高(たか)いんだね。
③「どう？　まだ降(ふ)ってる？」「ううん、もう雨(あめ)は（　　　　　）たみたい」
④新(あたら)しい図書館(としょかん)はいつ（　　　　　）んですか。

きく	する	のる	できる	あがる

40 「～する」の形の動詞①

Verbs ending in 'suru'①／「～する」形式的动词①／"～する"형태의 동사①

●気持ち Feelings／心情／기분

がまんする（痛みを） to persevere／忍耐／참다

感謝する（親に） to thank／感谢／감사하다

感心する（人の話に） to admire／佩服／감탄하다

感動する（映画に） to be moved by／感动／감동하다

緊張する（面接で） to be nervous／紧张／긴장하다

興奮する（試合に） to be excited／兴奋／흥분하다

想像する（未来を） to imagine／相像／상상하다

尊敬する（先生を） to respect／尊敬／존경하다

反省する（失敗を） to reflect on／反省／반성하다

理解する（内容を） to comprehend／理解／이해하다

●人と人 Interpersonal Relations／人与人／사람과 사람

握手する（選手と） to shake hands／握手／악수하다

応援する（チームを） to support／支持／응원하다

乾杯する（みんなで） to toast／干杯／건배하다

協力する（友達に） to cooperate／协助／협력하다

競争する（A社と） to compete／竞争／경쟁하다

許可する（入国を） to permit／许可／허가하다

伝言する（友達に） to transmit／传言／전언하다

仲直りする（彼と） to reconcile／重归于好／화해하다

拍手する（選手に） to applaud／拍手／악수하다

反対する（計画に） to oppose／反对／반대하다

無視する（注意を） to ignore／无视／무시하다

約束する（友達と） to promise／约定／약속하다

通訳する（彼女が） to interpret／翻译／통역하다

●様子・出来事 Conditions and Happenings／样子・时间／모습 생긴 일

影響する（健康に） to influence／影响／영향을 주다

延期する（出発を） to postpone／延期／연기하다

活躍する（世界で） to be active／活跃／활약하다

完成する（ビルが） to complete／完成／완성하다

乾燥する（空気が） to dry／干燥／건조하다

故障する（車が） to break down／故障／고장 나다

終了する（試合が） to finish／结束／종료하다

成功する（実験が） to succeed／成功／성공하다

成長する（子供が） to grow／成长／성장하다

発達する（技術が） to develop／发达／달성하다

不足する（お金が） to be insufficient／不足／부족하다

変化する（色が） to change／变化／변화하다

●交通 Transportation／交通／교통

発車する（急行が） to depart／发车／출발하다

乗車する（バスに） to board／乘／승차하다

停車する（バスが） to stop／停车／정차하다

通過する（A駅を） to pass through／经过／통과하다

混雑する（駅が） to be crowded／混杂／혼잡하다

渋滞する（道が） to be backed up／堵车／정체하다

移動する（車で） to move／移动／이동하다

横断する（道路を） to cross／横穿／횡단하다

CD 40

例文

①歯が痛かったら、**がまんしないで**、早く歯医者さんに行ったほうがいいよ。
②「原さんは、どこのチームを**応援して**いるの？」「東京ゴジラズ。次の試合も行くよ」
③「雨が降ったら、どうなりますか」「雨が強ければ、次の週に**延期します**」
④このマンション、去年の４月に工事が始まったのに、もう**完成する**んですか。早いですね。
⑤〈ニュース〉ふるさとに帰る車で、高速道路はどこも**渋滞して**います。

ドリル

つぎの（　　　）に合うものを下の語から一つ選び、必要があれば形を変えて入れなさい。

1）

①大勢の前だと、（　　　　　　）て、うまく話せないんです。
②友だちとしばらくけんかしていたけど、昨日やっと（　　　　　　）した。
③先生のおかげで大学に合格できました。本当に（　　　　　　）ています。
④「ごめん、明日２時に（　　　　　　）ていたけど、３時にしてもらえない？」「いいよ」

緊張する	約束する	感動する	感謝する	仲直りする

2）

①みんなで（　　　　　　）れば、１時間で終わりますよ。
②さっき何か事故があったようで、駅はずいぶん（　　　　　　）ていた。
③こんな大変な仕事をボランティアでしているなんて、本当に（　　　　　　）する。
④みなさんにご迷惑をおかけしてしまい、（　　　　　　）ています。

成功する	反省する	混雑する	協力する	感心する

41 「～する」の形の動詞②

Verbs ending in 'suru' ②／「～する」形式的动词②／「～する」형태의 동사②

●あ～き

移動する(場所を) to move／移动／이동하다

遠慮する(お酒を) to be restrained／客气／사양하다

確認する(時間を) to check／确认／확인하다

活動する(全国で) to be active／活动／활동하다

観光する(京都を) to go sightseeing／观光／관광하다

管理する(資料を) to manage／管理／관리하다

記入する(名前を) to write in／记入／기재하다

記録する(データを) to record／记录／기록하다

禁止する(使用を) to prohibit／禁止／금지하다

●け～こ

決定する(日にちが) to decide／决定／결정하다

計画する(旅行を) to plan／计划／계획하다

計算する(金額を) to calculate／计算／계산하다

契約する(A社と) to enter into a contract／合同／계약하다

化粧する(家で) to put on makeup／化妆／화장하다

交換する(電池を) to exchange／交换／교환하다

合計する(数を) to add up／合计／합계하다

行動する(団体で) to act／行动／행동하다

●さ～

撮影する(風景を) to take a picture／摄影／촬영하다

参加する(会に) to participate／参加／참가하다

指示する(やり方を) to instruct／指示／지시하다

指定する(場所を) to specify／指定／지정하다

修正する(データを) to revise／修正／수정하다

修理する(時計を) to repair／修理／수리하다

宿泊する(旅館に) to stay overnight／住宿／숙박하다

診察する(子供を) to examine／诊察／진찰하다

整理する(資料を) to put things in order／整理／정리하다

宣伝する(商品を) to advertise／宣传／선전하다

●た～

追加する(資料を) to add／追加／추가하다

登録する(名前を) to register／登录／등록하다

努力する(仕事で) to endeavor／努力／노력하다

発見する(星を) to discover／发现／발견하다

比較する(値段を) to compare／比较／비교하다

変更する(時間を) to alter／变更／변경하다

保存する(データを) to preserve／保存／보존하다

冷凍する(肉を) to freeze／冷冻／냉동하다

命令する(部下に) to order／命令／명령하다

予防する(かぜを) to prevent／预防／예방하다

利用する(ATMを) to use／利用／이용하다

CD 41 **例文**

①「どうしよう。間違えてＬサイズを買っちゃった」「**交換して**もらったら？」

②「明日の予約、一人**追加して**８人にしたいんですが」「はい、結構ですよ」

③カード会員に**登録する**と、次のお買い物からポイントが貯まりますよ。

④すみません、18日に予約したんですが、時間を７時から６時に**変更で**きませんか。

⑤「たぶん、今日は開いてると思うんだけど……」「電話して**確認した**ほうがいいよ」

ドリル

つぎの（　　　）に合うものを下の語から一つ選び、必要があれば形を変えて入れなさい。

1）

①さくら商店街が、インターネットを（　　　　　　）たサービスを始めました。

②「じゃ、日時が決まったら、ご（　　　　　　）ますね」「はい、お願いします」

③値段とか機能とか、いろいろ（　　　　　　）て、これが一番いいと思いました。

④今日一日で使ったお金を（　　　　　　）たら、２万４千円でした。

修理する	比較する	連絡する	合計する	利用する

2）

①「では、ここにお名前と電話番号を（　　　　　　）てください」「はい、ここですね」

②今回の事故は、道路を（　　　　　　）している市に責任がある。

③会場内での撮影は（　　　　　　）れていますので、ご協力ください。

④この映画、いろんなところで（　　　　　　）ているけど、あまり話題になってないね。

管理する	禁止する	記入する	宣伝する	活動する

42 カタカナ語(ご)

Katakana words／片假名单词／가타카나

●する動詞(どうし)　Verbs in 'suru'／する动词／하다 동사

アップする　to upload／提高、上涨／올리다

⇔ダウンする

アドバイスする　to advise／忠告、劝告／충고하다

アナウンスする　to announce／广播、通知／안내방송하다

アンケートする　to do a survey／问卷调查／앙케트를 하다

イメージする　to imagine／形象、印象／이미지 하다

インタビューする　to interview／访问／인터뷰하다

オープンする　to open／开放／공개하다

カットする　to cut／剪切／커트하다

サインする　to sign／签字／사인하다

スタートする　to start／开始／출발하다

⇔ゴールする

スピーチする　to make a speech／演讲／연설하다

時計(とけい)をセットする　to set a clock／调钟表／시계를 세트 하다

チェックする　to check／检查／검사하다

チェックインする　to check in／(旅馆等办理手续后)住店／체크인하다

⇔チェックアウトする

デートする　to date／约会／데이트하다

デザインする　to design／设计／디자인하다

ノックする　to knock／敲门／노크하다

プラスする　to add／增加／플러스하다

⇔マイナスする

ホームステイする　to do a homestay／住宿在国外普通居民家(学习当地的风俗、语言、文化等)／홈스테이하다

ミスする　to make a mistake／错误／실수하다

リサイクルする　to recycle／再利用／리사이클 하다

リラックスする　to relax／轻松／긴장을 풀다

レンタルする　to rent／租赁、出租／렌탈하다

●カタカナ語(ご)＋V/A

Katakana word + verb/adjective／片假名单词＋V/A／가타카나어＋V / A

アイディアがある　to have an idea／有主意／아이디어가 있다

ゴールを決(き)める／する　to set a goal／到达终点／골을 넣다/득점하다

コミュニケーションをとる　to get in touch／交流／커뮤니케이션을 하다

ショックを受(う)ける　to be shocked／受到打击／충격을 받다

スイッチを入れる／切(き)る　to turn on/off a switch / 打开开关/关掉 / 蝶嬪纂蒂 厥菜/莖菜 / 스윗치를 넣는다/자른다

センスがいい／悪(わる)い　to have good/bad taste / 感觉好/不好 / 센스가 좋다/나쁘다

バランスがいい／悪い　to be balanced/unbalanced / 保持均衡/不均衡 / 밸런스가 좋다/나쁘다

●な形容詞(けいようし)　-na Adjectives／な形容词／な형용사

カジュアルな　casual／休闲的／캐주얼한

シンプルな　simple／简单的／단조로운

スムーズな　smooth／顺利的／순조로운

ベストな　best／最好的／베스트인

●その他(た)

アマチュア　amateur／业余／아마추어

⇔プロの選手

オリジナルの商品 original product／原创商品／오리지널 상품

サンプル sample／样品／샘플

セルフサービス self-service／自助服务／셀프서비스

本のタイトル book title／书的样式／책의 제목

デジタル digital／数码／디지털

トップを走る to run on top／第一位／선두를 달리다

⇔ラスト

パンフレット pamphlet／小册子／팸플릿

ボランティア volunteer／志愿者／자원봉사자

ボリュームが多い large volume／量大／음량이 많다

テレビのボリューム television volume／电视机的声音／텔레비전의 음량

CD 42

例文

①ソファーで好きな音楽を聞いているときが、一番**リラックス**できます。

②今日、商品が届いたけれど、**イメージ**していたものと違っていた。

③「どうしたらいいのかなあ……」「青木さんなら、いい**アドバイス**をくれると思うよ」

④「こちらのシャツは、当店**オリジナル**の**デザイン**なんです」「へー、かわいいですね」

⑤またカップラーメン？　ちゃんと栄養の**バランス**をとらないと、病気になるよ。

ドリル

1）つぎの（　　）に合うものをａ～ｅの中から一つ選びなさい。

①クレジットカードでのお支払いですね。こちらに（　　）をお願いします。

②金曜の飲み会は７時（　　）だから、遅れないようにね。

③私の（　　）で、お客さんにおつりを少なく渡してしまいました。

④「テレビの（　　）、もうちょっと下げてくれない？」「ごめん、うるさかった？」

a. サイン	b. スピーチ	c. ボリューム	d. ミス	e. スタート

2）つぎの（　　）に合うものを下の語から一つ選び、必要があれば形を変えて入れなさい。

①今週、駅前に新しいスーパーが（　　　　）ました。

②ドアを軽く（　　　　）てから部屋に入ってください。

③「どうして遅刻したの？」「目覚ましを（　　　　）のを忘れちゃって……」

④〈テレビを見て〉「この人、中国語で（　　　　）してる」「へー、通訳なしなんだ」

ノックする	オープンする	インタビューする	セットする	レンタルする

43 慣用句
かんようく

Idioms／惯用语／관용구

●頭・顔　Head and Face／头・脸／머리 얼굴

頭が痛い／頭に来る／顔が広い／顔を出す

子どもの教育費は、親にとって**頭の痛い**問題だ。

Children's educational expenses are a headache for their parents.／孩子的教育费真是件让家长头疼的问题。／어린이의 교육비는 부모에게 있어 머리가 아픈 문제이다.

あんなことを言われたら、**頭に来**ますよ。

I drives me crazy when people say things like that.／被(其他人)那样说，真让人生气。／그런 말을 들으면 화가 납니다.

彼は**顔が広い**から、誰かいい人を知っていると思う。

He gets around, so I think he knows somebody good.／他认识的人多，应该认识哪个好人吧。／그는 발이 넓으니까 누군가 좋은 사람을 알고 있을 거야.

明日のパーティーには、ちょっとだけ**顔を出す**つもりです。

I'm going to put in a brief showing at tomorrow's party, that's all.／明天的晚会，我准备稍微露一下面就行了。／내일 파티에는 조금만 얼굴을 내밀을 예정입니다.

●口　Mouth／口、嘴／입

口が堅い／口が軽い／口に合う／口を出す

「原さんにも話したんですか」「大丈夫。彼は**口が堅い**から」
はら　　　　はな　　　　　　　　だいじょうぶ　かれ　くち　かた

"Did you talk to Mr. Hara, too?" "It's OK. He can keep a secret."／"你跟原先生说了吗？""没关系，他嘴紧。"／" 하라 씨에게도 말했습니까?" "괜찮아. 그는 입이 무거우니까."

林さんには話さないほうがいいですよ。彼は**口が軽い**から。

It'd be better not to talk to Mr. Hayashi. He's pretty loose-lipped.／别跟林先生说啊！他嘴快。／하야시 씨에게는 말하지 않는 것이 좋습니다. 그는 입이 가벼우니까.

「お**口に合う**かどうか、わかりませんが、どうぞ」「あ、おいしいです」

"I don't know whether you'll like the taste, but go ahead and try it." "Wow. I really like it."／"不知道合不合您的口味，请品尝一下吧！""嗯，很好吃。"／"입에 맞는지 어떤지 모르겠습니다만, 여기요." "아, 맛있습니다."

関係ないのに、彼はすぐ**口を出して**くる。

Even though he's not involved, he'll say something about it soon.／和他没关事情，他也要插嘴。／관계가 없는데 그는 곧 참견한다.

●耳・目　Ears and Eyes／耳朵・眼睛／귀 눈

耳が〔の〕痛い／耳にする／目が〔の〕回る／目に浮かぶ

〈テレビを見て〉飲み過ぎに注意か……。ビール好きには**耳の痛い**話だ。

(Looking at TV) Watching out not to drink too much. Not a nice thing to hear for people who love beer.／〈看电视的时候〉注意别喝多了……。对喜欢啤酒的人来说，真是刺耳的话。／〈텔레비전을 보고〉과음에 주의구나....... 맥주를 좋아하는 사람에게는 귀가 따가운 이야기이다.

その話、私も**耳にし**たことがある。

I've heard that story too.／这些事情，我也听说过。／그 이야기, 나도 들은 적이 있다.

忙(いそが)しくて**目(め)が回(まわ)る**よ。

I'm so busy my head is spinning.／忙得头昏眼花。／바빠서 눈이 돌아갈 정도이다.

森(もり)さん、また社長(しゃちょう)と出張(しゅっちょう)？　彼(かれ)の困(こま)っている顔(かお)が**目に浮(う)かぶ**よ。

Mr. Mori, are you going on another trip with the president? I can just see his troubled face.／森先生，还要和社长出差啊？他为难的表情浮现在眼前啊。／모리 씨, 또 사장님과 출장? 그의 곤란해하는 얼굴이 눈에 떠오른다.

●手(て)　Hands／手／손

手が空(あ)く／手が足(た)りない／手を貸(か)す

手が空いたら、荷物(にもつ)運(はこ)ぶの、手伝(つだ)ってくれる？

If your hands are free, would you mind helping me carry this luggage?／手有空的话，能帮我搬运一下行李吗？／할 일이 없으면 짐을 나르는 것을 도와줄 수 있어?

手が足りなくて、困(こま)っているんです。

I've got a problem. I just don't have enough hands to do this.／人手不够，很为难。／일손이 부족해서 곤란합니다.

ちょっと**手を貸(か)して**くれない？　これ、向(む)こうに運ぶから。

Could you give me a hand for a second? I need to take this over there.／能帮帮我吗？帮我把这个运到对面去。／조금 일을 거들어 주지 않을래? 이것 건너편에 나를 거니까.

●気(き)　Ki／心情、心绪、心境／마음, 기분, 신경

気が合(あ)う／〜気がする／気がつく／気に入る／気にする／気になる／気を使(つか)う

彼女(かのじょ)とは昔(むかし)から**気が合う**んです。

She and I have always got along.／我和她以前就很投缘。／그녀와는 옛날부터 마음이 맞습니다.

さっきから、だれかに見(み)られている**気がする**。

I've got this feeling somebody's been watching me for a while.／我觉得刚才，就好像被谁盯着看的感觉。／좀 전부터 누군가가 보고 있는 기분이 든다.

すみません、メモに**気がつき**ませんでした。

I'm sorry. I didn't notice the memo.／对不起，我没注意到做的记录。／미안합니다. 메모를 알아채지 못했습니다.

何(なに)か**気に入っ**たものはあった？

Was there anything you liked?／有什么喜欢的东西吗？／무엇인가 마음에 드는 것은 있었니?

▶**お気に入りの店**　A store you like／喜欢去的店／마음에 드는 가게

大(たい)したことじゃないから、**気にし**ないほうがいい。

It's no big deal, so you shouldn't worry about it.／没什么大不了的，别在意。／대단한 것은 아니니까 신경을 쓰지 않는 것이 좋다.

試合(しあい)の結果(けっか)が**気になる**。

I'm worried about the the result of the game.／很担心比赛的结果。／시합의 결과가 신경이 쓰인다.

「何か飲(の)まれますか」「どうぞ、**気を使(つか)わ**ないでください」

"Will you have anything to drink?" "Oh, don't worry about me."／"喝点儿什么？""请您别费心。"／"무언가 드시겠습니까?" "부디, 신경 쓰지 마세요."

●その他(た) Other／其他／그 밖

首(くび)〔クビ〕になる／腹(はら)が立(た)つ・腹を立てる

今(いま)、会社(かいしゃ)を**首になっ**たら、とても困(こま)る。

If I get laid off now, I'll really be in trouble.／今天被公司解雇了, 很难受。／지금 회사를 잘리면 무척 곤란하다.

店員(てんいん)の失礼(しつれい)な態度(たいど)に**腹が立っ**た。

The store clerk's impolite attitude made me mad.／对店员那种没礼貌的态度真是生气。／점원의 실례되는 태도가 화가 났다.

そんなことで**腹を立て**ないで。

Don't get mad over something like that.／别为那种小事生气。／그런 것으로 화를 내지 말아.

CD 43 **例文(れいぶん)**

①冷蔵庫(れいぞうこ)を買(か)い換(か)えないといけないけど、今(いま)はそんなお金(かね)はないし……。**頭(あたま)が痛(いた)い**よ。

②「明日(あした)の飲(の)み会(かい)、来(こ)（ら）れる？」「ちょっと遅(おく)れそうだけど、**顔(かお)は出(だ)す**よ」

③「昨日(きのう)はずっと受付(うけつけ)にいました」「えっ、そうだったんですか。**気(き)がつき**ませんでした」

④「それ、捨(す)てるのは、もったいない**気がする**」「わかった。じゃ、とっておこう」

⑤「すみません、ぼくのミスで負(ま)けてしまって」「そんなことないよ。**気にする**なって」

ドリル

1）つぎの（　　　）に合(あ)うものをａ～ｅの中(なか)から一(ひと)つ選(えら)びなさい。

①森(もり)さんって、政治家(せいじか)にも知(し)り合(あ)いがいるんですか。本当(ほんとう)に（　　　）んですね。

②私(わたし)が（　　　）ことじゃないかもしれませんが、急(いそ)いだほうがいいと思(おも)いますよ。

③「彼女(かのじょ)のびっくりする顔(かお)が（　　　）よ」「これ、前(まえ)からほしがってたからね」

④まだ店(みせ)がオープンしたばかりで、（　　　）忙(いそが)しさです。

a. 目(め)に浮(う)かぶ	b. 頭(あたま)が痛(いた)い	c. 顔(かお)が広(ひろ)い	d. 目(め)の回(まわ)る	e. 口(くち)を出(だ)す

2）つぎの（　　　）に合(あ)うものを下(した)の語(ご)から一(ひと)つ選(えら)び、必要(ひつよう)があれば形(かたち)を変(か)えて入(い)れなさい。

①あの二人(ふたり)は（　　　）みたいだね。いつもいっしょにいる。

②名前(なまえ)を呼(よ)ばれた（　　　）けれど、誰(だれ)もいなかった。

③プレゼント、（　　　）てもらえるといいね。

④となりの部屋(へや)の音(おと)が（　　　）て、よく寝(ね)（ら）れないんです。

気(き)が合(あ)う	気(き)に入(い)る	気(き)がする	気(き)にする	気(き)になる

44 言葉のいろいろな形

Various forms of words／词语的各种形式／말의 여러 가지 형태

A→V

●気持ちなど　Feelings／心情等／기분 등

痛む(足が)	to hurt／疼痛／아프다
悲しむ(人の死を)	to grieve／悲伤／슬퍼하다
苦しむ(熱で)	to suffer／痛苦、难受／괴로워하다

●様子・状態　Conditions and Situations／样子・状态／모습 상태

暖まる(部屋が)	to get warm／温暖／따뜻해지다
暖める(部屋を)	to warm up／让---温暖 ／덥히다
温まる(スープが)	to be hot／热乎乎／따뜻해지다
温める(スープを)	to heat up／加热／덥히다
強まる(風が)	to be strong／强烈／강하다
冷房を強める	to turn up the air conditioning／开足冷气／냉방을 강하게 하다
弱まる(風が)	to be weak／弱／약해지다
暖房を弱める	to turn down the heat／调弱暖气／난방을 약하게 하다
薄める(お茶を)	to thin／稀释／엷게 하다
広がる	to extend／變寬、變廣／넓어지다
広げる	to broaden／擴寬、擴大／넓히다
海に近づく	to get close to the sea ／接近大海／바다에 다가가다
画面に近づける	to push close to the screen／接近画面／화면에 접근시키다

V・A→N

●気持ちなど　Feelings／心情等／기분 등

喜びを表現する	to express one's joy／表达喜悦／기쁨을 표현하다
一番の楽しみ	the most fun thing／最开心的／가장 큰 즐거움
悲しみを理解する	to understanding their grief／理解悲伤(的心情)／슬픔을 이해하다
驚きのニュース	surprising news／震惊的新闻／놀랄 뉴스
笑いの声	a laughing voice／笑声／웃는 소리
国民の怒り	the public's anger／国民的愤怒／국민의 분노
思いを伝える	to communicate one's thoughts／传达想法／생각을 전달하다
考えを述べる	to state one's idea／述说想法／생각을 말하다
願いを込める	to put in a request／满怀希望／바람을 담다

●動作など　Actions／动作等／동작 등

行きの電車	outbound train／开往(地点)的电车／갈 때 타는 전차
帰りの時間	return time／回来的时间／돌아가는 시간
迎えの車	pick-up car／迎接的车／마중 나오는 차
星の動き	movement of the stairs／星星的移动／별의 움직임
脳の働き	workings of the brain／大脑的功能／뇌의 움직임
片づけが済む	to finish cleaning up／收拾完了／정리가 끝나다
手伝いを頼む	to ask for help／请求帮助／도움을 부탁하다
頼みを聞く	to entertain a request／答应请求／부탁을 듣다
別れの時	time to say good-bye／分别之时／헤어지는 때
歌と踊り	song and dance／唱歌和跳舞／노래와 춤
遊びを覚える	to get to know a game／学游戏／놀이를 외우다

飾りをつける to decorate／装饰／장식을 하다

知らせを受ける to get a notification／接到通知／통지를 받다

決まりを守る to stick to a decision／遵守规矩／규칙을 지키다

集まりに遅れる to be late for a gathering／聚会迟到／모임에 늦다

続きを見る to see the continuation／看下一集／계속되는 것을 보다

●様子・状態 Conditions and Situations／样子・状态／모습·상태

急ぎの用事 urgent errand／要事／서두르는 일

役割の違い difference in roles／任务的不同／역할의 차이

旅の疲れ travel exhaustion／旅行的疲惫／여행의 피로

終わりの時間 finishing time／结束的时间／끝나는 시간

CD 44

例文

①今エアコンをつけたので、部屋が**暖まる**までもう少し待ってください。

②「たくさん寝たけど、まだ**疲れ**が残ってる」「たぶん働き過ぎなんだよ」

③どんなコンサートになるのか、今からとても**楽しみ**です。

④この歌には、世界が平和になってほしいという**願い**が込められている。

⑤彼の言葉がおかしくて、みんな**笑い**が止まりませんでした。

ドリル

1）つぎの（　　）に合うものを下の語から一つ選び、必要があれば形を変えて入れなさい。

①もっと近くでその絵を見たかったけど、人が多くて(　　　)なかった。

②「また、この道を工事してるんだね」「今度は、道の幅を(　　　)んだって」

③ちゃんと大学に行ってまじめに勉強しないと、ご両親が(　　　)よ。

④「そのけが、まだ(　　　)の？」「いや、もう全然。ありがとう」

広げる	近づく	暖まる	痛む	悲しむ

2）つぎの（　　）に合うものをa～eの中から一つ選びなさい。

①「あっ、もうこんな時間。バイトに行かなきゃ」「残念。じゃ、話の(　　　)はまた明日ね」

②「原さん、お願い！」「田中さんの(　　　)だったら、断れないなあ。わかったよ」

③お(　　　)の場合は、こちらの番号までお電話ください。

④いろんな(　　　)の人がいるから、全員が賛成しなくてもいい。

a. 考え	b. 頼み	c. 急ぎ	d. 続き	e. 集まり

45 言葉を作る一字

Single characters that help make words／形成单词的一个字／말을 만드는 한 글자

※「*」のついている語に訳をつけています（左から順に）

The words with an asterisk have translation. (From left to right)／带「*」的词语附翻译（从左边按顺序）／「*」이 달려 있는 말에 번역을 달았습니다.

●回数など Frequency／次数等／회수 등

再～

再利用、再放送

最～

最後、**最高***、**最新***、**最大***

highest, latest, biggest／最高、最新、最大／최고、최신、최대

未～

未完成、未経験*、**未成年***、未確認、未使用

inexperienced, minor／没有经验、未成年／미경험、미성년

新～

新学期、新商品、新記録、新年、**新品***、**新人***

new item, new person／新纪录、新商品、新职员／신기록, 신품, 신인

●否定 Negation／否定／부정

不～

不まじめ、不健康、不十分、**不可能***、**不要***〔不必要〕、不便*、不幸*

impossible, unnecessary, inconvenient, unfortunate／不可能、不要、不方便、不幸福（不幸运）／불가능、불필요、불편、불행

無～

無関係*、無責任、無色、**無料***、**無理***

unrelated, free, unreasonable／没关系、免费、勉强／무관계、무료、무리

非～

非常識*

thoughtless／没有常识、不懂事理／비상식

●人・仕事 People & jobs／人・工作／사람· 일

～者

医者、新聞**記者***、司会者、研究者、**担当者***、**参加者***、希望者、応募者

newspaper reporter, person in charge, participant／新闻记者、负责人、参加人员／신문기자,담당자、참가자

～員

会社員、銀行員、店員、駅員、事務員、**係員***、**職員***

attendant, staff member／科员、公司职员／담당자、직원

～家

作家*、小説家、漫画家、**画家***、芸術家、**政治家***、**専門家***

author, painter, politician, expert／作家、画家、政治家、专家／작가, 화가,정치가、전문가

～師

教師、**医師***、**看護師***

doctor, nurse／医生、护士／의사、간호사

～業

作業*、**工業***、**農業***、**産業***、**営業***

work/task, manufacturing industry, agriculture, industry, sales/business／操作、工业、农业、产业、营业／작품、공업、농업、산업、영업

●物・機械 Things & machines／物品・机械／물건 기계

～品

食品*、化粧品、**商品***、輸入品、セール品*、**作品***

food, product, sale item, work (of art)／食品、商品、减价商品、作品／식품, 상품, 세일품、작품

～器

食器*、**楽器***

dishes/tableware, musical instruments／餐具、乐器 ／식기, 악기

～機(き)

掃除(そうじ)機*、**洗濯(せんたく)機***、**自動販売(じどうはんばい)機***、コピー機*

vacuum cleaner, washer, vending machine, copier／吸尘器、洗衣机、自动贩卖机、复印机／청소기、세탁기、자동판매기、복사기

●お金(かね) Money／钱／돈

～料(りょう)

入場(にゅうじょう)料*、使用(しよう)料、授業(じゅぎょう)料、**手数(てすう)料***、**送(そう)料***、**有(ゆう)料***

admission fee, service charge, shipping fee, fee is required／入场费、手续费、邮寄费、收费／입장료,수수료、송료、유료

～代(だい)

電気(でんき)代*、食事(しょくじ)代、バス代、本(ほん)代*、洋服(ようふく)代、チケット代、修理(しゅうり)代

electric bill, money for book／电费、书本费／전기세、책값、

～費(ひ)

交通(こうつう)費*、食(しょく)費、参加(さんか)費、**会(かい)費***、**学(がく)費***

travel expenses, membership due, tuition／交通费、会费、学费／교통비, 회비、학비

～賃(ちん)

家(や)賃、運(うん)賃*

rent, fare／房租、运费／집세、운임

●性質(せいしつ)・状態(じょうたい) Disposition & state／性质・状态／성잘 상태

～中(ちゅう/じゅう)

電話中(でんわちゅう)*、食事中(しょくじちゅう)、会議中(かいぎちゅう)、世界中(せかいじゅう)*、部屋中(へやじゅう)*、今週中(こんしゅうちゅう)、休(やす)み中(ちゅう)、一日中(いちにちじゅう)*

talk on the phone, throughout the world, around the room, all day long／电话占线、整个世界、整个房间里、一整天／전화중, 세계 중, 방안 가득, 하루종일

～的(てき)

健康(けんこう)的*、女性(じょせい)的、計画(けいかく)的、基本(きほん)的*、具体(ぐたい)的*、**積極(せっきょく)的***

healthy, basically, specifically, actively／基本的、具体的、积极的／건강적, 기본적、구체적、적극적

～用(よう)

男性(だんせい)用*、旅行(りょこう)用、家庭(かてい)用*

men's または for men, for home use／男性用、家庭用／남성용, 가정용

本(ほん)～

本社(しゃ)*、**本人(にん)***、**本日(じつ)***、**本当(とう)***

headquarters, the person in question, today, true／总公司、本人、今天、真的／본사、본인、오늘、정말

～製(せい)

日本(にほん)製*、外国(がいこく)製、革(かわ)製*

made in Japan, leather／日本制造、皮革制品／일제, 가죽제품

～立(りつ)

国(こく)立*、私(し)立*、市(し)立

national, private／国立、私立／국립, 사립

～線(せん)

国内(こくない)線*、国際(こくさい)線*、ＪＲ線(せん)

domestic line, international line／国内航线、国际航线／국내선, 국제선

CD 45

例文

①受け取りには**本人**確認が必要ですので、身分証明書をお持ちください。
②家庭**用**のプリンターなので、印刷のスピードがちょっと遅いです。
③いつか長い休みをとって、世界**中**を旅行したいと思っています。
④毎晩エアコンをつけて寝ていたら、電気**代**が高くなってしまった。
⑤こんなに夜遅くに電話してくるなんて、**非**常識だと思う。

ドリル

つぎの（　　　）に合うものをａ～ｅの中から一つ選びなさい。

1）

①私の家は、駅もバス停も遠くて（　　　）便です。
②家（　　　）を探したけれど、結局、その本は見つからなかった。
③バイト（　　　）経験なんですが、大丈夫でしょうか。
④去年買ったものですが、一度も使っていない（　　　）品です。

a. 化	b. 中	c. 不	d. 新	e. 未

2）

①見て。セール（　　　）で５割引！」「ほんとだ、すごく安いね」
②作（　　　）になって、たくさんの本を書くのが夢だ。
③「長野行きの電車はどれだろう」「あの駅（　　　）さんに聞いてみようよ」
④交通（　　　）のことを考えると、家の近くでアルバイトを探したいと思う。

a. 家	b. 料	c. 品	d. 費	e. 員

第3回 実戦練習

じっせんれんしゅう

問題1 （　　）に入れるのに最もよいものを、1・2・3・4から一つえらびなさい。

①あと5分ほどで担当の者が参りますので、（　　　）お待ちください。

1 そろそろ　　2 しばらく　　3 いきなり　　4 ずっと

②会場の（　　　）のほうまで、人がたくさん入っていた。

1 奥　　2 底　　3 表　　4 裏

③授業中、友達と（　　　）話していたら、先生に怒られてしまった。

1 ぶつぶつ　　2 ごちゃごちゃ　　3 ひそひそ　　4 ぱらぱら

④久しぶりに会った同級生と飲みすぎてしまい、今朝から胃が（　　　）している。

1 うんざり　　2 むっと　　3 いらいら　　4 むかむか

⑤山から（　　　）景色は最高で、何枚も写真を撮った。

1 見かけた　　2 見落とした　　3 見上げた　　4 見下ろした

⑥この番組ではよく、教育の問題を（　　　）。

1 取り上げる　　2 持ち上げる　　3 取り出す　　4 生み出す

⑦こちらのランチセットには、コーヒーとデザートが（　　　）います。

1 出て　　2 入れて　　3 とって　　4 ついて

⑧音楽を（　　　）ら、店の雰囲気も変わった気がした。

1 かけた　　2 した　　3 上げた　　4 立てた

⑨上野さんは、彼女にふられたのが（　　　）で、毎日、泣いてばかりいるらしい。

1 ミス　　2 ショック　　3 カット　　4 マイナス

⑩予約では、5名とお伝えしたのですが、あと2名（　　　）することができますか。

1 確認　　2 追加　　3 登録　　4 記録

問題２　＿＿＿＿に意味が最も近いものを、１・２・３・４から一つえらびなさい。

①彼女の質問に、彼は、あいまいな返事をくり返した。

1　落ち着いた　　2　はっきりしない　　3　ゆっくりと　　4　確かに

②先輩(せんぱい)が同じ話を何度もするので、うんざりした。

1　悔(くや)しかった　　2　不思議になった　　3　苦しかった　　4　嫌になった

③荷物をいっぺんに運びたいんだけど、どうやったらいいと思う？

1　どんどん　　2　たいてい　　3　一度に　　4　ずいぶん

④お口に合うかどうかわかりませんが、どうぞ。

1　好みに合う　　2　話に合う　　3　知り合う　　4　言い合う

問題３　つぎのことばの使い方として最もよいものを、一つえらびなさい。

①　取り替(か)える

1　明日から、この本に書いてある考え方を自分の生活に取り替えるつもりだ。

2　お風呂場(ふろば)の電球(でんきゅう)がつかなくなったから、取り替えてくれる？

3　高速(こうそく)道路に入る前にガソリンを取り替えることにした。

4　一度このボタンをクリックすると、予約を取り替えることはできません。

②　成功(せいこう)する

1　その子どもは、難しいと言われていた手術(しゅじゅつ)が成功して、助かった。

2　一生懸命(いっしょうけんめい)勉強して、１級の試験に成功することができた。

3　５年前から始まった工事が終わり、ついに立派な高速道路が成功した。

4　サッカー大会で息子が成功して、チームは勝つことができた。

③　アナウンスする

1　この大会(たいかい)で優勝(ゆうしょう)した松本選手(まつもとせんしゅ)に、今の気持ちをアナウンスすることになっている。

2　結婚式で友人代表としてアナウンスすることになり、緊張(きんちょう)している。

3　先輩(せんぱい)がアナウンスしてくださったおかげで、試験に合格できました。

4　強風(きょうふう)で列車が遅(おく)れると、駅員がアナウンスしていた。

PART 2

模擬試験
もぎしけん

第1～2回
だい かい

Mock examinations

模拟考试

모의고사

第1回　模擬試験

問題1　(　　　)に入れるのに最もよいものを、1・2・3・4から一つえらびなさい。

1 電車の中で寝ていて、(　　　)しまったので、次の駅でおりて戻った。

1　乗り換(か)えて　　2　乗り過(す)ごして　　3　乗り間違(まちが)えて　　4　乗り遅(おく)れて

2 彼はよくうそを(　　　)ので、周りの人は彼のことを信じていない。

1　話す　　2　作る　　3　吐(は)く　　4　つく

3 田中さんとはずっといっしょでしたが、さっき駅で(　　　)ました。

1　別れ　　2　はなれ　　3　分け　　4　切られ

4 この機械はこわれやすいので、(　　　)に運んでください。

1　貴重(きちょう)　　2　重要(じゅうよう)　　3　慎重(しんちょう)　　4　体重

5 台風が近づいているので、これから雨が(　　　)なりそうだ。

1　つらく　　2　激しく　　3　きびしく　　4　苦しく

6 うちの犬は、普段(ふだん)はほえないが、知らない人が家に来ると、(　　　)ほえ出す。

1　さっそく　　2　やっと　　3　ついに　　4　とたんに

7 引っ越しをするときは、(　　　)な手続きがたくさんある。

1　不安　　2　面倒(めんどう)　　3　苦手　　4　退屈(たいくつ)

8 タオルが乾(かわ)いたら、(　　　)で引き出しに入れてください。

1　たたん　　2　おっ　　3　ほし　　4　むすん

9 （　　　）が出て止まらないときは、これを飲むといいですよ。

1 せき　2 ねつ　3 めまい　4 うがい

10 休みがとれなくなったので、旅行の予約を（　　　）した。

1 クリーニング　2 メイク　3 セット　4 キャンセル

11 きのうの風で、桜の木の枝が（　　　）しまった。

1 枯(か)れて　2 取って　3 折れて　4 散(ち)って

問題２　＿＿＿に意味が最も近いものを、１・２・３・４から一つえらびなさい。

12 最後に、ねぎを<u>刻(きざ)んで</u>豆腐(とうふ)の上にかけてください。

1 洗って　2 揚(あ)げて　3 炒(いた)めて　4 小さく切って

13 人間の体は、特別な運動をしなくてもエネルギーを<u>消費(しょうひ)する</u>。

1 生(う)む　2 減(へ)る　3 使う　4 作る

14 あの学生は、学校では<u>おとなしい</u>。

1 背が高い　2 静か　3 年が多い　4 頭がいい

15 彼女は私の<u>同僚(どうりょう)</u>です。

1 一緒(いっしょ)に働く人
2 一緒に暮(く)らす人
3 一緒に勉強する人
4 一緒に遊ぶ人

16 春になったので、庭の畑(はたけ)に花の種(たね)を<u>まいた</u>。

1 入れた　2 置いた　3 植えた　4 埋(う)めた

問題3　つぎのことばの使い方として最も良いものを、一つえらびなさい。

17 はやる

1　30分寝坊(ねぼう)したので、はやって学校へ行った。
2　電車の中に携帯(けいたい)電話を忘れて、はやってしまった。
3　予定が変わったときは、はやって連絡してください。
4　大学生のころ、この歌がはやっていて、私もCDを買った。

18 運賃(うんちん)

1　この小包の東京までの運賃はいくらですか。
2　海外に荷物を送る場合、船は飛行機より時間がかかるが、運賃が安い。
3　バスの運賃は、降りるときに払ってください。
4　運賃がかからないので、この書類はメールで送ろう。

19 新鮮(しんせん)

1　あのスーパーは、いつも新鮮な野菜を置いている。
2　毎年４月になると、新鮮な社員が会社に入って来る。
3　久しぶりにそうじをしたので、部屋が新鮮になった。
4　前のものが壊れてしまったので、新鮮なパソコンを買いました。

20 やわらかい

1　寒くなってきたので、クーラーの温度をやわらかくした。
2　この問題はやわらかかったので、すぐにわかった。
3　私は体がやわらかいので、すぐに風邪をひく。
4　水の量(りょう)を間違(まちが)えて炊(た)いたので、ごはんが少しやわらかくなってしまった。

21 わざと

1　私は生まれたときからわざと、この町に住んでいる。
2　こんな遠くまでわざと来てくださり、ありがとうございます。
3　先生を困らせようと、わざと変な答えを言った。
4　６年もかかったが、わざと大学を卒業することができた。

第2回　模擬試験

問題1　（　　　　）に入れるのに最も良いものを、1・2・3・4から一つえらびなさい。

1 娘は、高校生になってから（　　　　）に興味を持つようになった。

1　無地（むじ）　　2　派手（はで）　　3　地味　　4　おしゃれ

2 私の国では、数年前から少子化（しょうしか）が（　　　　）。

1　高くなっている　　2　上がっている
3　進んでいる　　4　増えている

3 昨夜の（　　　　）はとても大きく、家が激しく揺（ゆ）れた。

1　火事　　2　地震（じしん）　　3　洪水（こうずい）　　4　停電（ていでん）

4 母は、20年勤めた会社を（　　　　）して、ダンス教室を始めた。

1　就職（しゅうしょく）　　2　転職（てんしょく）　　3　入社　　4　退社

5 彼は学校に来ても、（　　　　）ばかりで、授業をほとんど聞いていない。

1　サボって　　2　居眠（いねむ）りして　　3　寝坊（ねぼう）して　　4　カンニングして

6 彼は来月から部長になり、20人の（　　　　）を持つことになる。

1　部下　　2　上司（じょうし）　　3　同僚（どうりょう）　　4　後輩（こうはい）

7 ホテルに到着したら、まず、ロビーで今後の（　　　　）の確認（かくにん）をします。

1　サービス　　2　スケジュール　　3　キャンセル　　4　サイン

8 日本へ来るときは、家族みんなが（　　　　）くれました。

1　出迎えて　　2　見送って　　3　配達して　　4　出して

9 妹は（　　　　）な性格(せいかく)で、旅行の準備を出発の日の朝にしていた。

1　まじめ　　2　正直　　3　のんき　　4　けち

10 だいぶ人も集まったので、（　　　　）始めましょうか。

1　ぎりぎり　　2　そろそろ　　3　だんだん　　4　まあまあ

11 街を歩いていていたら、突然(とつぜん)、知らない人に（　　　　）られた。

1　確かめられ　　2　待ち合わせ　　3　問い合わせ　　4話しかけ

問題2　＿＿＿＿に意味が最も近いものを、1・2・3・4から一つえらびなさい。

12 彼は、父の手術が無事終わったと聞いて、ほっとした。

1　緊張(きんちょう)した　　2　安心した　　3　驚いた　　4　肩を落とした

13 風邪(かぜ)、よくならないね。一度、診察(しんさつ)してもらったほうがいいんじゃない？

1　かんさつして　　2　うけて　　3　みて　　4　かんびょうして

14 弟は、小学校のとき、絵の大会で賞をもらったことがある。

1　コンクール　　2　コンサート　　3　サークル　　4　セット

15 午後になって、雨が上がった。

1　やんだ　　2　ひどくなった　　3　終わった　　4　強くなった

16 帰りは、タクシーを拾(ひろ)って帰るから、大丈夫です。

1　つかまえて　　2　もうしこんで　　3　みかけて　　4　とって

問題３　つぎのことばの使い方として最もよいものを、一つえらびなさい。

17 冷やす

1　中学校のときは、同級生に冷やされた。
2　パーティーの前に、飲み物は、よく冷やしておいてください。
3　大切な本ですから、雨で冷やさないようにしてください。
4　そのスープ、熱いよ。少し冷やしてから飲んで。

18 まとめる

1　私の先輩は宇宙の研究をしていて、先日、新しい星をまとめた。
2　今学期は、15単位をまとめるつもりだったが、10単位も落としてしまった。
3　これまでの研究結果をまとめて、論文を書いた。
4　友人が遊びに来るので、部屋をまとめた。

19 気温

1　ちょっと熱があるかもしれませんね。気温を測ってみましょう。
2　ちょっとお湯の気温を計ってみて。熱すぎると思うんだけど。
3　明日は今日に比べて、気温が５度ほど下がって、涼しくなります。
4　日本の６月は雨が多く、気温も多い。

20 発展する

1　工業化が進んで、この国は、これからますます発展するだろう。
2　子どもの体は、発展するのがとても早い。
3　このまま地球温暖化が発展したら、どうなるのだろうか。
4　最近、郊外の人口がどんどん発展してきた。

21 真っ青

1　毎日、宿題をしてこない学生に対して、先生は、真っ青になって、怒った。
2　火の強さを調節しなかったから、魚を真っ青にこがしてしまった。
3　初めて行ったスキー場は、真っ青だった。今でも忘れられない景色だ。
4　祖父は、気分が悪いと言いながら、真っ青な顔をして倒れた。

語彙さくいん

し

N3 げんごちしき（もじ・ごい） かいとうようし

受験番号 Examinee Registration Number		名前 Name	

〈ちゅうい Notes〉

1. くろいえんぴつ（HB、No.2）で かいてください。
   Use a black medium soft (HB or No.2) pencil.
2. かきなおすときは、けしゴムで きれいにけしてください。
   Erase any unintended marks completely.
3. きたなくしたり、おったりしないで ください。
   Do not soil or bend this sheet.
4. マークれい Marking examples

よい Correct	わるい Incorrect
●	

問題 1				
1	①	②	③	④
2	①	②	③	④
3	①	②	③	④
4	①	②	③	④
5	①	②	③	④
6	①	②	③	④
7	①	②	③	④
8	①	②	③	④
問題 2				
9	①	②	③	④
10	①	②	③	④
11	①	②	③	④
12	①	②	③	④
13	①	②	③	④
14	①	②	③	④

語彙の問題

問題 3				
15	①	②	③	④
16	①	②	③	④
17	①	②	③	④
18	①	②	③	④
19	①	②	③	④
20	①	②	③	④
21	①	②	③	④
22	①	②	③	④
23	①	②	③	④
24	①	②	③	④
25	①	②	③	④

問題 4				
26	①	②	③	④
27	①	②	③	④
28	①	②	③	④
29	①	②	③	④
30	①	②	③	④
問題 5				
31	①	②	③	④
32	①	②	③	④
33	①	②	③	④
34	①	②	③	④
35	①	②	③	④

N3 語彙(ごい) 第1回模擬試験(もぎしけん) 解答用紙(かいとうようし)

問題 1				
1	①	②	③	④
2	①	②	③	④
3	①	②	③	④
4	①	②	③	④
5	①	②	③	④
6	①	②	③	④
7	①	②	③	④
8	①	②	③	④
9	①	②	③	④
10	①	②	③	④
11	①	②	③	④

問題 2				
12	①	②	③	④
13	①	②	③	④
14	①	②	③	④
15	①	②	③	④
16	①	②	③	④

問題 3				
17	①	②	③	④
18	①	②	③	④
19	①	②	③	④
20	①	②	③	④
21	①	②	③	④

N3 語彙(ごい) 第2回模擬試験(もぎしけん) 解答用紙(かいとうようし)

問題 1				
1	①	②	③	④
2	①	②	③	④
3	①	②	③	④
4	①	②	③	④
5	①	②	③	④
6	①	②	③	④
7	①	②	③	④
8	①	②	③	④
9	①	②	③	④
10	①	②	③	④
11	①	②	③	④

問題 2				
12	①	②	③	④
13	①	②	③	④
14	①	②	③	④
15	①	②	③	④
16	①	②	③	④

問題 3				
17	①	②	③	④
18	①	②	③	④
19	①	②	③	④
20	①	②	③	④
21	①	②	③	④

●**著者**

中島　智子（なかじま　ともこ）

広島大学教育学部日本語教育学科卒業。元広島 YMCA 専門学校専任講師。

松田　佳子（まつた　よしこ）

広島大学大学院教育学研究科（博士課程前期）修了。タマサート大学専任講師を経て、現在、金沢大学留学生センターにて非常勤講師。

高橋　尚子（たかはし　なおこ）

広島大学教育学部第三類日本語教育系コース卒業。チェンマイラチャパット大学で専任講師を務めた後、編集者として日本語教材の制作に携わる。現在、熊本外語専門学校専任講師。

DTP　有限会社トライアングル
レイアウト　ポイントライン
カバーデザイン　滝デザイン事務所
イラスト　白須道子
翻　訳　Jon McGovern ／ John Mader ／ Chinatsu Kadota ／王雪／李炜／崔明淑
編集協力　高橋尚子／野村愛

日本語能力試験問題集　N３語彙スピードマスター

平成 22 年（2010 年） 11 月 10 日　初版第 1 刷発行
平成 29 年（2017 年） 3 月 10 日　第 5 刷発行

著　者　中島智子／松田佳子／高橋尚子
発行人　福田富与
発行所　有限会社 Ｊリサーチ出版
〒 166-0002
東京都杉並区高円寺北 2-29-14-705
電話　03(6808)8801（代）　FAX　03(5364)5310
編集部　03(6808)8806
http://www.jresearch.co.jp
印刷所　大日本印刷株式会社

ISBN 978-4-86392-037-8

日本語能力試験問題集　Ｎ３語彙スピードマスター

解答・例文の訳

Answers, Translations of example sentences

解答・例文的翻译

해답· 예문 역

解答
かいとう

●ドリル

ユニット1　時間

1）①c　②e　③d　④b

2）①e　②c　③a　④b

ユニット2　家族・友人

1）①d　②a　③c　④b

2）①b　②e　③a　④c

ユニット3　食べる・飲む

1）①味わ　②かじっ　③なめ　④か（噛）ま

2）①c　②d　③b　④e

ユニット4　料理・味

1）①あ（揚）げ　②きざ（刻）ん　③そそ（注）い　④ゆで

2）①c　②e　③d　④b

ユニット5　レストラン

1）①取り消　②サービスし　③外食する　④す（済）ま

2）①b　②e　③c　④d

ユニット6　毎日の生活

1）①セットする　②かわい　③く（暮）らし　④落ち

2）①きがえ　②かたづけ　③やる　④かける

ユニット7　電車

1）①d　②c　③e　④a

2）①c　②d　③a　④b

ユニット8　飛行機・バス・車

1）①とうちゃく（到着）　②つか（捕）まら　③あず（預）ける　④出迎え

2）①c　②a　③b　④e

ユニット9　家

1）①c　②b　③a　④d

2）①e　②a　③d　④b

ユニット10　街

1）①のぞいて　②ふんいき（雰囲気）がいい　③にぎわっ　④ぶらぶらして

2）①c　②a　③b　④d

ユニット11　お金・売る・買う

1）①d　②a　③e　④c

2）①b　②d　③e　④a

ユニット12　服・靴

1）①かけ　②はめ　③とっ　④ま（巻）い

2）①c　②b　③d　④e

ユニット13　色・形

1）①e　②c　③a　④d

2）①d　②c　③a　④e

ユニット14　数・量

1）①b　②d　③e　④a

2）①数え　②減らす　③はか（量）って　④増える

ユニット15　趣味・活動

1）①d　②c　③a　④e

2）①e　②a　③b　④d

ユニット16　郵便・宅配

1）①e　②d　③c　④a

2）①c　②b　③d　④e

ユニット17　人生

1）①b　②c　③e　④d

2）①e　②c　③a　④d

ユニット18　国・社会

1）①a　②b　③c　④d

2）①c　②d　③b　④e

ユニット19　産業・技術

1）①d　②a　③e　④c

2）①e　②a　③b　④c

ユニット20　材料・道具
1）①c　②a　③d　④e
2）①c　②e　③a　④d

ユニット21　自然①
1）①e　②a　③b　④d
2）①e　②d　③c　④a

ユニット22　自然②
1）①まく　②ち(散)って　③か(枯)れて　④なる
2）①c　②e　③a　④d

ユニット23　体・健康
1）①b　②a　③c　④d
2）①a　②c　③b　④e

ユニット24　気持ち
1）①c　②d　③e　④b
2）①c　②d　③b　④a

ユニット25　学校
1）①c　②e　③b　④a
2）①b　②a　③d　④e

ユニット26　大学
1）①a　②b　③e　④c
2）①b　②c　③a　④d

ユニット27　仕事・職業
1）①e　②d　③c　④b
2）①おうぼ(応募)　②通勤する　③たんとう(担当)し　④かせぎ

ユニット28　パソコン・ネット
1）①d　②a　③c　④e
2）①プリントし　②つながら　③入力　④転送し

ユニット29　人と人・グループ
1）①c　②d　③a　④e
2）①d　②e　③a　④c

ユニット30　どんな人
1）①e　②c　③a　④b
2）①c　②e　③d　④a

ユニット31　どんなもの？ どんなこと？
1）①c　②d　③e　④b
2）①b　②c　③a　④d

ユニット32　どのように？
1）①c　②a　③e　④d
2）①a　②b　③c　④e

ユニット33　位置・方向
1）①b　②a　③e　④c
2）①させつ(左折)し　②横切っ　③迷わ　④そ(沿)って

ユニット34　擬音語・擬態語①
1）①e　②b　③a　④c
2）①a　②d　③c　④b

ユニット35　擬音語・擬態語②
1）①a　②c　③b　④e
2）①d　②b　③e　④c

ユニット36　複合動詞①
1）①だ(抱)き合って　②取り上げ　③買いか(換)え　④忙しすぎて
2）①食べ始めて　②降り出　③持ち上げ　④かけ直す

ユニット37　複合動詞②
1）①通りす(過)ぎ　②聞き取れ　③取り付け　④出迎え
2）①読み終わっ　②話しかけ　③見落とし　④歩き回った

ユニット38　基本動詞①
1）①かけて　②出　③ついて　④とり
2）①ついている／つく　②かける　③とり　④入れ

ユニット39　基本動詞②
1）①して　②たて　③あっ　④できる
2）①きい　②する　③あがっ　④できる

ユニット40　「〜する」の形の動詞①
1）①きんちょう(緊張)し　②仲直り　③感謝し　④約束し
2）①協力す　②混雑し　③感心　④反省し

ユニット 41　「～する」の形の動詞①

1）①利用し　②連らく（絡）し　③比かく（較）し　④合計し

2）①記入し　②管理　③禁止さ　④せん（宣）伝され

ユニット 42　カタカナ語

1）①a　②e　③d　④c

2）①オープンし　②ノックし　③セットする　④インタビュー

ユニット 43　慣用句

1）①c　②e　③a　④d

2）①気が合う　②気がした　③気に入っ　④気になっ

ユニット 44　言葉のいろいろな形

1）①近づけ　②広げる　③悲しむ　④痛む

2）①d　②b　③c　④a

ユニット 45　言葉を作る一字

1）①c　②b　③e　④d

2）①c　②a　③e　④d

●第１回実戦練習
（ユニット1～15）

【問題１】

①4　②2　③3　④2　⑤1　⑥4　⑦3　⑧1　⑨3　⑩4

【問題２】

①2　②4　③3　④1

【問題３】

①4　②3　③2

●第２回実戦練習
（ユニット16～30）

【問題１】

①2　②2　③2　④4　⑤1　⑥4　⑦2　⑧3　⑨1　⑩2

【問題２】

①1　②2　③2　④2

【問題３】

①2　②3　③4

●第３回実戦練習
（ユニット31～45）

【問題１】

①2　②1　③3　④4　⑤4　⑥1　⑦4　⑧1　⑨2　⑩2

【問題２】

①2　②4　③3　④1

【問題３】

①2　②1　③4

●模擬試験の答え

【第１回】

問題 1	
1	2
2	4
3	1
4	3
5	2
6	4
7	2
8	1
9	1
10	4
11	3
問題 2	
12	4
13	3
14	2
15	1
16	3
問題 3	
17	4
18	3
19	1
20	4
21	3

【第２回】

問題 1	
1	4
2	3
3	2
4	4
5	2
6	1
7	2
8	2
9	3
10	2
11	4
問題 2	
12	2
13	3
14	1
15	1
16	1
問題 3	
17	2
18	3
19	3
20	1
21	4

例文の訳
れいぶん　やく

UNIT 1

① Today's the end of the month, so the bank will be crowded, don't you think?

② I'm busy this week, so can I get back to you on Monday?

③ "What kind of work do you want to do in the future? I want to work in trade."

④ "Will you be open during the year-end and New Year's holidays?" "Yes, we're open every day of the year."

⑤ I'm going to move early next month.

UNIT 2

① "Is that your father over there?" "No, he's my uncle."

② "Are you going somewhere for summer vacation?" "Yes, I'm going back to my parents' place."

③ Every New Year's, relatives get together at my home on the same day.

④ "Take a look at this picture. These are my grandchildren." "What? I didn't know you were a grandfather."

⑤ "You bought a car?" "No way. I borrowed this from an acquaintance."

UNIT 3

① "Miso is good for you, so be sure to drink all your miso soup." "Okay, okay."

② "Got a headache?" "Yes, I drank too much yesterday."

③ "The beer's a tad warm, don't you think?" "Let's put it back in the refrigerator for a while."

④ Here, take a little lick. This salt is really tasty.

⑤ "This meat was really expensive, so eat it slowly to appreciate the flavor." "Okay."

UNIT 4

① "This fish is a little burned." "You shouldn't eat the burned parts. They're not good for you."

② It has simmered for a long time, so the vegetables have become tender.

③ Was this pastry deep-fried? No, it was just baked.

④ This tea is very hot, so let it cool a while before you drink it.

⑤ After you peel the potatoes, julienne them and fry them with the pork.

UNIT 5

① "I become unable to go today, so I'd like to cancel my reservation." "Certainly, sir."

② "May I take this plate?" "Yes, please."

③ "Do you have a smoking section?" "I'm very sorry, but all tables are non-smoking."

④ "Will you be paying together?" "No, please ring us up separately."

⑤ "What do you want to do? Want to eat here?" "We can't relax here, so how about getting take-out."

UNIT 6

① I'm going out for a little in the afternoon to run an errand.

② Please sort your garbage for disposal. Recyclables go here.

③ "What's your job?" "I work at a travel agency."

④ "We've been having a lot of rain this week, huh?" "Yeah, it's awful that the laundry can't be hung out to dry."

⑤ You seem to be a little tired, so try to get plenty of sleep.

UNIT 7

① "You're late, aren't you?" "I'm sorry. I missed the train."

② "If I leave now, can I make the 11 o'clock train?" "Well, yeah, but it'll be a close shave."

③ "Were you able to get a reserved seat?" "No, the reserved seats are all booked up, so I'm going to ride in a non-reserved seat."

④ "You didn't go home yesterday?" "No, I missed the last train, so I stayed at a friend's place."

⑤ If you are transferring to the subway line, please go through the passageway at the north exit.

UNIT 8

① "Which stop will we get off at?" "Just a second. I'll check on the route map. It's the stop right after the next.

② "Is this a direct flight?" "No, we'll have a layover in Seoul."

③ "Which is the bus for the city office?" "It's that one parked over there."

④ "When do I pay the fare?" "Put your money in the fare box when you get off."

⑤ When boarding a bus, take a numbered ticket from the machine."

UNIT 9

① We never have anything as fancy as this for dinner at our home.

② "Can I use this hair dryer overseas?" "You can if the outlets have the same shape as in Japan."

③ You can see Mt. Fuji from your balcony? That's cool.

④ Yamada really loves flowers. Whenever I visit her home, she always has the living room and entryway adorned with flowers.

⑤ This old condo building doesn't have an automatic lock at the entrance, so just come all the way to our door the next time you visit.

UNIT 10

① "I saw our teacher in front of the train station yesterday. He was with his family."

② I'm really exhausted because I've been walking through crowds the whole day. I want to go home early.

③ "Just I imagined. It gets crowded on the weekend, eh?" "Yeah, it's especially busy around here."

④ "Is there a bank around here?" "If you need an ATM, there's one in that convenience store right over there."

⑤ "This is a business district, there are a lot of businesspeople on the street at lunchtime.

UNIT 11

① "Does this vending machine take bills?" "No, it takes only 100-yen and 10-yen coins."

② "Why is everyone lined up over there?" "A big sale is starting there today."

③ "Does this price include consumption tax?" "Yes, it does."

④ "How would you like to pay for this?" "Credit card."

⑤ "That store gives you a discount if you buy a lot."

UNIT 12

① "Do you wear a tie at work?" "Yes, it's a company rule."

② (At a fitting room) "How does it fit?" "It's a little tight around the waist."

③ "That's Mr. Suzuki's wife." "She's a very elegant lady, isn't she?"

④ "Look! I've bought a new outfit." "Hmm, that's a little too flashy, don't you think?"

⑤ "I love this bag because it's well-designed and can carry lots of things."

UNIT 13

① "You look white as a ghost. You ought to go home now, don't you think?" "Yeah, I think I will."

② (At a shop) This shirt is in solid, so it'll be easy to match with other clothes." "Yeah, but it's a little plain, huh?"

③ (At a shop) "Hmm, maybe this is a little too flashy." "Well then, how about this one in a floral pattern?"

④ "What kind of cup would be good?" "Something without any pictures or patterns on it. Choose something with a simple design."

⑤ "This table is just the right length, don't you think?" "But a round one would be more stylish, wouldn't it?"

UNIT 14

① "Let me know how many people participated in today's exhibition." "Okay."

② Moderator: Now, choose someone to keep time, and discuss the subject in a group for five minutes.

③ "How many kilograms does this suitcase weigh?" "Why don't you try weighing it on the bathroom scale?"

④ (Sign) Admission is free for children under three.

⑤ "How's your new company?" "I've just about gotten into the swing of things."

UNIT 15

① "What's your hobby?""I'd say going to the gym and giving myself a good workout. It's also a great way to make new acquaintances."

② "You're learning Flamenco?" "Yeah. I'm going to be in a contest next month, so I'm going to another practice session in a little bit."

③ "Say, why don't you join in that volunteer group that plays with children?" "I'm not very good with children."

④ (Sign) The city hosts classes on various subjects, including foreign languages, computers, cooking, dancing, and swimming.

⑤ (Describing travel plans) The inn where we'll be staying has hot-spring baths, and we can sing karaoke and do some bowling there, too.

UNIT 16

① "Are you going to ship your luggage home, or carry it with you?" "It's not so heavy, so I'm going to carry it."

② Clerk: Write the receiver's name and address on this form.

③ How much would it cost to send this by air?

④ "Should I send it special delivery?" "No, regular mail is fine."

⑤ Deliverer: Here's a package for you. Please put your seal or signature here.

UNIT 17

① (Speech) They apparently began dating soon after they met by destiny.

② "It was a shock to hear that Ms. Hayashi passed away, wasn't it?" "I'll say. She taught us so much."

③ I was born in Tokyo but raised in Hokkaido.

④ He went to work for that company so that he could realize his dream of building robots.

⑤ Is Mr. Tanaka an elderly man? In that case, it would be better to serve him some warm tea instead of a cold drink.

UNIT 18

① When I was young, I wanted to live in the city, but now that I'm older, I want to live peacefully in the countryside.

② "Where can I apply for an alien registration card? "You can do it at the city office."

③ "The mayoral election is this weekend, huh?" "That reminds me. I saw a candidate giving a campaign speech in front of the train station yesterday."

④ (News) The government has announced its new five-year economic plan.

⑤ There's been another suicide caused by bullying. It's become a serious problem.

UNIT 19

① (In a factory) Bring all fully assembled items here.

② My friend says he wants to leave his office job in a few years and go into farming.

③ (In a factory) Huh? I pushed the stop button, but it isn't stopping. Maybe it's broken.

④ Hayashi joined a project team that develops products for markets overseas.

⑤ Biofuel is being developed as a new alternative to petroleum.

UNIT 20

① Be careful when using oil, because it can create a disaster if it catches fire.

② You can cut it more cleanly with a box cutter than with scissors.

③ Some of the things we need for the barbecue tomorrow are a knife, a cutting board, plastic plates, and paper cups.

④ "Where's the printer ink?" "I think it's in that cardboard box."

⑤ Are the batteries dead? The remote control doesn't work at all.

UNIT 21

① "It's been muggy every day, huh?" "They say we're a having a spell of abnormal weather this year. I wish it would get cool soon."

② The purpose of this program is to provide a variety of experiences in a natural setting.

③ "That was a big earthquake we had this morning. They say it registered a four on the Japanese seismic scale." "Well, that's no surprise, the way that everything was shaking so much."

④ (Weather forecast) Tomorrow will bring intense sunshine that will drive temperatures up, possibly pushing the mercury over 30 degrees.

⑤ Oh, that was thunder, wasn't it? We might be getting an evening shower pretty soon.

UNIT 22

① The rain on the weekend caused the cherry trees to lose a lot of their blossoms.

② Farmers say that the apple harvest will be small this year due to the effects of typhoons.

③ I didn't notice before, but the yard's gotten overgrown with weeds. Better mow it soon.

④ Crows are clever birds that closely observe human behavior.

⑤ Now that my mother's gotten older, it seems to have gotten a little harder for her to do the plowing and rice planting.

UNIT 23

① There's a cold bug going around now, so I make sure to wear a gauze mask whenever I go out.

② If you sense a cold coming on, the first thing you need to do is get some sleep. Rest is the most important thing.

③ It's not good for you to reduce your weight too much by dieting.

④ Maybe I've got a fever. I've been feeling a little listless since the morning.

⑤ Whenever I feel that my job is starting to stress me out, I do things like chatting or going out to eat with my friends.

UNIT 24

① "Huuuh." "You'll never be happy if you're always sighing like that."

② I was really moved when I first saw this movie. Tears just naturally filled my eyes."

③ "It's my first time to give a presentation in Japanese, so I'm nervous." "You'll be all right, seeing how much you practiced. Just relax."

④ "The boss has been irritable all day." "Yeah, maybe something bad happened."

⑤ How frustrating. I was so close to winning.

UNIT 25

① "Hara, what subjects were you good at?" "Stuff like Japanese and English. I always had trouble with things like science and math, though."

② (At a test) All right, first please write your name and registration number on your answer sheet.

③ I sometimes doze off, but I've never skipped a class.

④ There are just two days left before the exam, right? It's impossible for you to memorize all this in time.

⑤ Ms. Hayashi is running late due to a train accident, so please study on your own until she arrives.

UNIT 26

① "When is the deadline for our reports?" "The 25th. I still haven't picked a topic."

② They say they won't take any forms after the deadline for submission passes.

③ Professor Nakamura is a favorite with the students because she takes the time to give them close guidance.

④ I needed a professor's recommendation to apply for graduate school, so I called on Professor Tanaka to help me out.

⑤ I majored in pedagogy in college, but the job I have now is in a totally different field.

UNIT 27

① "What line of work are you in?" "I do clerical work for a trading company."

② "Tanaka is in charge of that assignment, but he's off today."

③ "I am completely responsible for the problem. I deeply apologize for what I've done."

④ It's not good for you to sit in front of a computer all day. You should take some breaks.

⑤ "We need to bring up the copier situation at the next meeting." "That's true."

UNIT 28

① I found a shop that sells good tea by searching around on the Internet.

② "Can I have that photo?" "Sure, I'll e-mail it to you later."

③ "You know, I sent you an e-mail yesterday." "Oops, I forgot to reply! I'm sorry!"

④ Next, click "Yes." This will take you to the password entry screen.

⑤ I had too much data, so I deleted all unnecessary files.

UNIT 29

① "The Potato Club? What kind of group is that?" "Maybe they have something to do with cooking."

② You can't just talk about what you think. You need to think about the feelings of others, too.

③ My parents really get along with each other. They still even do stuff like climbing mountains together.

④ "They say that everyone who signs up as a member now will receive a gift certificate worth \3,000." "Wow, that's a great deal."

⑤ When speaking with a superior, take care to use proper language.

UNIT 30

① "You sure have a slim figure. Do you do some kind of exercise?" "Yes, I go swimming."

② I thought I'd like to date her with a pure heart.

③ He's not just cool; he's smart as well.

④ Tanaka is stingy. He has never treated me to a can of soda.

⑤ Coach Mori's zealous guidance helped the team to really build its strength.

UNIT 31

① You play the guitar?! This is a surprise...I thought you weren't into music.

② Instead of being so ambiguous about it, come out and say what you want to say.

③ "How's this movie?" "Forget it. It was so stupid I stopped watching it halfway through."

④ When I was a kid, I would go chasing after balls without another thought in the world.

⑤ Wow, you said something like that? It's no wonder that she got mad at you.

UNIT 32

① This is so sudden that I can't give you a reply right now.

② "Do you often come to this shop?" "Sometimes."

③ We can't hold many of them at once, so let's carry them in several trips.

④ It's pretty crowded for a weekday. I wonder if there's some sort of event going on.

⑤ We discussed it for two whole hours, but in the end we still didn't come to any decision.

UNIT 33

① "Hello, where are you now?" "I'm sorry, but I got lost. I'm across from the post office.

② "Is there a convenience store around here?" "There's one just after turning right at that stoplight."

③ "Won't the bottom of this paper sack tear?" "It'll be fine."

④ After going out the station's north exit, you'll see a bookstore catercorner from there. Meet me there.

⑤ (In a taxi) Go past that intersection and left me off before the bus stop.

UNIT 34

① "Wan beamed at me after listening to my talk." "You must have been thrilled."

② Of course, I dress properly when I go to interviews.

③ Gee, I'm starving. I didn't each lunch today.

④ "Did you bring the CD?" "I'm sorry, I completely spaced it out. I'll definitely bring it tomorrow."

⑤ "Don't be shy. Eat as much as you like." "Thank you."

UNIT 35

① "It's so exciting to be leaving for Okinawa tomorrow." "That's for sure. I can't wait to go."

② "I wonder if the store is still open." "They're open until 8 o'clock, so we can just make it, don't you think?"

③ "If you take the medicine and get some good sleep, you'll be better soon." "Okay."

④ I had a quarrel with him, but it felt good to say everything I wanted to say.

⑤ My team is a collection of different ages and occupations, but we all get along together really well.

UNIT 36

① "What's wrong?" "I can't get the CD out of the computer."

② I thought about it again, but I decided to quit after all.

③ We all chose the gift for our professor by discussing it together.

④ Look at all this food! There's no way I can eat all this.

⑤ "Excuse me, but I wrote everything in the wrong place." "In that case, please rewrite it all on a new form."

UNIT 37

① "What's wrong? You stopped so suddenly." "I left my umbrella at the store we were just at."

② "What do I do to cancel this?" "You just need to hit this Return button, don't you?"

③ Hara stood up from his chair and walked to where I was.

④ Several elementary schools teach classes that incorporate this method.

⑤ "Go ahead. I'll catch up with you right away." "Okay. I'll walk slowly."

UNIT 38

① I haven't been able to get in touch with Wan since yesterday.

② I worked in Tokyo for three years after graduating from college.

③ If I get injured now, I won't be able to play in the game.

④ "Have you gotten over your cold?" "Yes. I'm sorry to have made you worry."

⑤ "Want to go to the sale on Saturday?" "Sorry, but I've already got other plans."

UNIT 39

① It feels like you've gotten something extra out of the day when you get up early, doesn't it?

② "There was some kind of big noise outside just now, wasn't there?" "Yeah, I'll go check it out."

③ This file is completely made out of paper, so it can be recycled as is.

④ I always go to my professor for all sorts of advice.

⑤ "When is the festival?" "Saturday of next week, I believe."

UNIT 40

① If a tooth hurts, it's best to go to a dentist rather than persevere.

② "Mr. Hara, which team do you support?" "The Tokyo Gozillas. I'm going to go to the next game!"

③ "If if rains, what are we going to do?" "If the rain is heavy, we'll postpone till next week."

④ "Even though they started construction in April last year, you mean to say this condo building is already finished?" "Wow, that was fast."

⑤ (On the news) The expressway is all backed up with cars going home.

UNIT 41

① "What should we do? I bought a size L by mistake." "Do you think they'll exchange it?"

② "I'd like to add one person to tomorrow's reservation, for a total of eight people." "Yes, that's fine."

③ Once you've registered as a cardmember, the next time you make a purchase you get points.

④ Excuse me, but I made a reservation for the 18th. Could you change that from 7 o'clock to 6?

⑤ "Maybe. I think they're open today, but I'm not sure." "It'd be best to call and check."

UNIT 42

① The best way to relax is to sit on a sofa and listen to music you like.

② The goods arrived today, but they were different from what I had imagined.

③ "What should I do?" "I bet Mr. Aoki would have some good advice."

④ "This shirt is an original design you can only get at our store." "Gee, it's really cute!"

⑤ Cup noodle again? If you don't think about a balanced diet you're going to get sick.

UNIT 43

① I've got to replace my fridge, but right now I don't have the money. It's giving me a headache.

② "Can you come to the drinking party tomorrow?" "I'll probably be a little late, but I'll put in a showing."

③ "Yesterday I was at the reception the whole time." "What, really? I didn't notice."

④ "It'd be a shame to throw that out." "You're right. I'll take it."

⑤ "I'm sorry, but it was because of my mistake we lost." "No, that's not true. Don't worry about it."

UNIT 44

① I just turned on the air conditioning, so please wait a little longer for the room to warm up.

② "I slept a lot, but I'm still tired." "Maybe you've been working too much."

③ I wonder what the concert's going to be like. I am really looking forward to it.

④ This song contains the wish that the world be at peace.

⑤ What he said was pretty strange, so everybody couldn't stop laughing.

UNIT 45

① We need to verify the receiver's identity, so please bring an ID card with you when you come to pick it up.

② This printer is designed for home use, so it prints out a little slow.

③ Some day I'd like to take a long vacation and travel around the world.

④ I left the air conditioner on every night when I slept and ended up with a whopping electricity bill.

⑤ I think it's thoughtless to call someone so late at night as this.

UNIT 1

① 是月末了，今天银行应该很拥挤啊。

② 这周太忙，下周开始的时候回话行吗？

③ “你将来想做怎样的工作？”“我想做贸易。”

④ “对了，年终年末的时候，你们店开不开门呢？”“要开的。我们一年都不休息。”

⑤ 我计划下个月的上旬搬家。

UNIT 2

① “那是你父亲吗？”“不，是我叔叔。”

② “暑假要去哪里吗？”“嗯，要回老家。”

③ 每年过年的时候，我门家的亲戚都要在我家聚一天。

④ “你看，这张照片，这是我孙子。”“咦！森先生都当爷爷了啊？”

⑤ “买车了吗？”“没有，是向朋友借的。”

UNIT 3

① “大酱对身体好，你把酱汤也喝了吧。”“好的、好的。”

② “头疼吗？”“嗯，昨天酒喝多了。”

③ “啤酒有点儿温呢。”“再放进冰箱里冰一下吧。”

④ 你尝一下。这种盐很好吃。

⑤ “这种肉很贵，你好好品尝一下。”“好的。”

UNIT 4

① “这条鱼烧焦了。”“烧焦的部分别吃了。对身体不好。”

② 煮了很长时间，菜煮软了。

③ “这些糕点是用油炸的吗？”“不是，是烤出来的。”

④ “茶挺烫的，等它凉了再喝吧。

⑤ 削完土豆皮后，把土豆切细，和猪肉一起炒。

UNIT 5

① “今天去不了了，我想取消预约。”“好的，我帮您取消。”

② “我可以撤掉这里的盘子吗？”“嗯，谢谢你。”

③ “有吸烟席吗？”“对不起，我们这里都是禁烟席。”

④ “请问是一起付账吗？”“不，请让我们各付各的。”

⑤ “怎么办？在这里吃了再走？”“不能坐下来慢慢吃了，带走吧。”

UNIT 6

① 下午有事，稍微出去一下。

② 请把垃圾分类后再扔。能回收再利用的放在这里。

③ “您的工作是？”“在旅行社上班。”

④ “这周下雨的日子真多。”“是啊，衣物也晾不干，好麻烦呀。”

⑤ 你好像有点累呀，请一定要保证充足的睡眠。

UNIT 7

① “好晚呀。”“对不起，电车坐过站了。”

② “11点的电车，现在出去还来得及吗？”“嗯，勉勉强强可以。”

③ “买到对号入座的票了吗？”“没有，因为满员，买自由座的票去。”

④ “昨天没回家吗？”“嗯，没赶上末班车，住在了朋友家里。”

⑤ 换乘地铁的乘客请走北口通道。

UNIT 8

① “在第几站下车？”“稍等一下，我看看路线图。……下一站的下一站。”

② “这飞机是直达航班吗？”“不是，要经过首尔。”

③ “去市政府的巴士是哪辆？”“就是停在那里的那辆巴士。”

④ “什么时候支付坐巴士的费用？”“请在下车的时候放入收费箱中。”

⑤ “乘巴士的时候请取排序号。”

UNIT 9

① 如此奢华的东西，从不会出现在我们家的餐桌上。

② “这种吹风机在海外也能用吗？”“如果插座的形状相同就能用。”

③ 从阳台能看到富士山吗？真好啊！

④ “田中特别喜欢花，只要去他家，总会看到起居室或玄关里装饰着花。”

⑤ “我们家是旧公寓，没有自动锁，请直接来这里。”

UNIT 10

① 昨天在车站前看见了老师。是和家人在一起。

② 因为一直在人山人海中走，特别累。真想早点回家。

③ “还是周六周天来往行人多呀。”“嗯。特别是这一带非常热闹。”

④ “这附近没有银行吧。”“要找自动取款机的话，就在那里的二十四小时便利店就有。”

⑤ 因为这附近是办公区，中午的时候全是公司职员。

UNIT 11

① “这台自动贩卖机不能用纸币吗？”“是的，只能用100日元和10日元的硬币。”

② “大家排着队做什么？”“从今天开始大甩卖了。”

③ “这个价钱含消费税吗？”“嗯，含有的。”

④ “请问您怎样支付呢？”“我用卡支付。”

⑤ 那边的商店，如果买得多，就会更便宜。

UNIT 12

① “A先生去上班的时候，系领带吗？”是的，这是公司规定的。

② 〈在试衣间〉“亲爱的顾客，请问您觉得怎么样？”“腰有点儿紧。”

③ “那位是铃木部长的夫人哦！”“看起来挺有品位的啊！”

④ “看，新衣服、我买了。”“嗯，你不觉得有点儿艳吗？”

⑤ 那个包设计得很漂亮，而且还能装很多东西，我很喜欢。

UNIT 13

① “脸色发青啊。还是回去吧。”“嗯，我这就回去。”

② 〈在商店〉“这件衬衫是没有花纹、一色的，好配衣服。”“可太素净了。”

③ 〈在商店〉“嗯，是不是有点太花哨了。”“那这种花色怎么样呢？”

④ “哪个杯子好呢？”“没有图画或者花纹的比较好吧。设计简单的好看。”

⑤ “这张桌子的长度不是正好吗？”“但是，你不认为圆形的那张更漂亮吗？”

UNIT 14

① “你数一下今天来参加发表会的人数。”“好的。”

② 主持 :那么、大家来决定一下，由谁来计时。现在开始，给大家五分钟的时间分组讨论。

③ 这个旅行箱有多少公斤啊？”“用体重计量一下吧！”

④ 〈指南〉未满三岁的孩子，禁止入场。

⑤ “新的公司怎么样啊?”“嗯，习惯得差不多了。”

UNIT 15

① “你的爱好是--？”“去健身房做运动吧。人际关系的范围扩大了挺好的。”

② “你在学弗拉曼柯舞吗？”“是的，下月我要参加比赛，今天也马上开始练习了。”

③ “喂，下次我们一起去参加和孩子们玩的志愿者活动吧？”“我不太擅长和孩子相处。”

④ 〈导游〉本市开设了各种各样的教室，有外语、电脑、料理、舞蹈、游泳等。

⑤ 〈旅行说明〉这次我们居住的旅馆是带温泉的，里面还可以享受卡拉ok和保龄球。

UNIT 16

① “是要送货上门，还是自己拿回去？”“不太重，我自己拿回去吧。”

② 办事人员 请将您的送货地址和姓名填写到这张纸上。

③ 寄航空信的话，要花多少钱呢？

④ “是不是寄快递比较好呢？”“不用，平信也可以的。”

⑤ 送货人员 :您的邮递物品。请在这里签字。

UNIT 17

① 〈演讲〉由于命运的安排而邂逅的两人，听说那之后，很快就开始了交往。

② “林先生去世的事，对我们真是打击啊。”“是啊，我们一直受到林先生的照顾”

③ 我出生在东京，成长在北海道。

④ 为了实现制造机器人的梦想，他在那间公司就职了。

⑤ 田中先生是上年纪的老人吗？那（对他来说）比起凉饮料，热茶更好吧。

UNIT 18

① 年轻的时候，想去大城市，可上年纪了，又想在乡下悠闲地生活。

② “外国人登录证的手续，在哪里办呢？”“在市政府办。”

③ “这周末，要竞选市长吧。”“这样说来，昨天有候选人还在车站前面做演讲来着。”

④ 〈新闻〉政府发表了新的五年经济计划。

⑤ 由于欺负行为所引起的自杀现象。真是一件很深刻的问题。

UNIT 19

① 〈工厂〉组装完毕的产品，请搬运到这里来。

② 我朋友说过几年他要辞掉工作，想发展农业。

③ 〈工厂里〉咦？已经按下了停止键，怎么还停不下来。是不是出故障了？

④ 林先生，加入了面对国外进行商品开发的项目队伍。

⑤ 作为代替石油的一种新兴燃料，正进行着生物燃料的开发研制。

UNIT 20

① 用油的时候要小心哟。火苗跑到其他地方去可就不得了了。

② 削这个的时候，与其用剪刀，不如用切削刀具，能削得更整齐。

③ 明天的烧烤，需要用到菜刀、菜板还有塑料盘子和纸杯等等。

④ “打印机的油墨在哪儿？”“我想是在那个纸箱子里。”

⑤ 是不是电池用完了？遥控器一点儿都不管用了。

UNIT 21

① “每天都很闷热啊！”“听说今年气候异常。我希望早点儿变凉快。”

② 这个项目，是以在自然中进行各种体验为目的的。

③ “今天早上的地震挺大的。听说震级是4级。”“是啊，摇晃得挺大的呢。”

④ <天气预报>明天阳光强烈，气温不不断上升，将超过30度。

⑤ 啊，打雷了。看来可能要下雷阵雨了。

UNIT 22

① 周末下雨了，樱花凋谢了好多。

② 听农家说，今年受台风的影响，苹果的收成也减少了。

③ 不知不觉地长了好多草了。该除草了吧！

④ 乌鸦是聪明的鸟类，经常观察人类的行为。

⑤ 看来母亲好像上年纪了，耕田、播种也有些吃力了。

UNIT 23

① 现在正在流行感冒，外出的时候，尽量带上口罩。

② 要是觉得自己感冒了，应该首先让自己好好睡上一

觉。休息是最重要的。

③ 由于减肥而强行减轻体重，对身体不好。

④ 好像是发烧了吧，今天早上起来身体就很疲惫。

⑤ 要是在工作上感到有压力的时候，我就会和朋友去吃吃饭、说说话什么的。

UNIT 24

① "哎—！""你要是只知道叹气的话，幸福就飞走了哟！"

② 第一次看这部电影的时候，真的很感动，眼泪不由自主地就流出来了。

③ "用日语发表还是第一次呢，有些紧张。""你都练这么久了，没关系的。镇定！"

④ "部长，今天我一直有些烦躁不安。""嗯。你是不是有什么不顺心的事啊？"

⑤ 真遗憾。还差一点儿就赢了。

UNIT 25

① "小原，你擅长哪一门科目？""国语和英语。我不擅长理科和数学。"

② 〈在考场上〉"好了，首先请在答题纸上写上自己的姓名和准考证号。"

③ 我有时候会打瞌睡，但是从来不逃过课。

④ 离考试只有两天了吧？这些是不可能全部背下来的。

⑤ 因为电车出事故了，林老师要迟到一会儿，请大家先自习吧。

UNIT 26

① "报告的截止日期是什么时候来着？""25号。但是，我还没决定写什么题目呢。"

② 听说如果过了交付文件的期限，就不会再受理了。

③ 中村老师总是认真地指导学生，很受学生们的欢迎。

④ 因为考研究生需要教授写推荐信，于是我拜托了田中老师。

⑤ 我在大学学的是教育学，现在做的工作完全与自己的专业无关。

UNIT 27

① "你在做什么工作呢？""我在一家贸易公司做行政工作。"

② 这个工作是由田中负责的，他今天休息。

③ 这次出的问题都应该由我来负责任。很对不起大家!

④ 一直坐在电脑前面对身体不好哟。时不时地应该休息一下。

⑤ "下次开会的时候，要商量一下复印机的事情了。""是啊。"

UNIT 28

① 我在网上检索，发现一家红茶很好喝的店。

② "那张照片，也可以给我吗？""嗯，我一会儿就用邮件给你发过去。"

③ "昨天我（给你）发邮件了啊。""啊，我忘记回信了，对不起啊！"

④ 那么，下面请单击"はい"这里。就应该出现一个让你输密码的画面。

⑤ 数据占满了（空间），我删除了不需要的文件。

UNIT 29

① "土豆会？什么团体啊？""是不是跟烹饪有关啊？"

② 不能只说自己的事情。你也要为对方想想。

③ 我父母的关系很好。现在都经常跑去登山。

④ "听说现在登录成为会员的话，可以领到三千日元的商品券哦。""是吗，那真是很划算啊！"

⑤ 和上级说话的时候，应该使用敬语，这一点请注意。

UNIT 30

① "你身材真好，在做什么运动吗？""我游泳来着。

② 我抱着一种单纯的心情，想和她交朋友。

③ 他不仅长得帅气，还很聪明。

④ 田中学长很吝啬，从来没请我喝过一罐果汁。

⑤ 在森教练的热心指导下，球队的实力确实增加不少。

UNIT 31

① 森先生，你弹吉他啊？我还以为你对音乐不太感兴趣呢，真没想到。

② 别说得那么模凌两可的，说清楚点儿行吗。

③ "这部电影怎么样？""不行，不行。太无聊了，中途我就退场了。"

④ 孩提时代，我如醉如痴地迷上了球。

⑤ 诶，你那样说了吗？她当然要生气啦。

UNIT 32

① 突然被别人这么一说，我还马上回不了话呢！

② "经常来这个店吗？""有时候来。"

③ 一次拿不了这么多，分几次拿吧！

④ 这在平时来说，算人多的啦。看来是有什么活动吧。

⑤ 商量了两个小时，结果什么都没定下来。

UNIT 33

① "喂，现在在哪儿？""对不起，我迷路了。在邮局对面。"

② "这附近有二十四小时便利店吗？""那个信号灯向右拐就到了。"

③ "这个纸袋的底部不会破吧？""不会的。"

④ "出了车站的北口，斜对面有一家书店，你就到那里来吧。"

⑤ 〈在的士上〉那边的交叉路口一直向前，然后请在车站前面停车吧。"

UNIT 34

① "听了这话，小王嫣然一笑。""那应该是高兴吧！"

② 当然，面试的时候应该穿得正规一些。

③ 啊，肚子饿了。今天没吃午饭啊。

④ "CD，你给我带过来了吗？""对不起，我完全忘记了。明天一定给你带过去。

⑤ "别客气，多吃点儿。""谢谢，那我就不客气了。"

UNIT 35

① "明天去冲绳旅游，太高兴啊。！""是啊，真的很期待（这次旅行）！"

② "还开着店吗？""到8点为止，应该能赶得及吧！"

③ "吃了药以后，美美地睡上一觉就会好的。""我知道了。"

④ 虽然和他吵架了，但是说了我想说的话，内心也轻松多了。

⑤ 年龄和职业都不是固定的，我们队的队员大家的关系都很好。

UNIT 36

① "怎么了？""电脑里的CD取不出来了。"

② 我重新想了一下，

③ 给老师的礼物呢，大家商量着决定吧。

④ 量太大了！|这么多，吃不完的哟！

⑤ "对不起，我写错了。""那重新写张新的吧 。"

UNIT 37

① "怎么突然停下了？""我把伞忘在刚才的店里了。"

② "这个怎么取消呢？""按这个「戻る」键就可以了。

③ 原先生从椅子上站起来，朝这边走来。

④ 好几所小学，都采取这种方法来上课的。

⑤ "我一会儿就会追上，你们先去吧。""知道了，那我们慢慢走吧。"

UNIT 38

① 从昨天起就和小王联系不上。

② 大学毕业后，我在东京工作了三年。

③ 现在如果受伤的话，就不能参加比赛了。

④ “感冒好了吗？”“嗯，不好意思，让你担心了。

⑤ “星期六不去扫货吗？”“对不起，已经有其他计划了。”

UNIT 39

① 早上起得早，有一种占了便宜的感觉。

② “刚才外面好大的声音啊。”“嗯，我们去看看吧。”

③ 这些文件都是纸做的，还可以进行再利用的。

④ 老师总是听我们诉说各种各样的事情。

⑤ “什么时候才有节日呢？”“我想应该是下周的星期日和星期天吧。”

UNIT 40

① 牙疼别忍着，赶快去找牙医看看比较好。

② “原先生、您支持哪个队呢？”“我支持东京哥吉拉斯。下次比赛我还去。”

③ “要是下雨怎么办呢？”“雨下大了的话，就延长到下周。”

④ 这栋公寓，去年４月才开始动工的，已经修完了。真快啊。

⑤〈新闻报道〉回家乡的车，在高速公路上堵住了。

UNIT 41

① “怎么办？买错了，买成大号的了。”“换过来吧。”

② “明天的预约，我们加了一个人，变成八个人了。”“嗯，没关系的。”

③ 登录成卡片会员，下一次买东西的时候，就可以积分了。

④ 对不起，我预约的是１８号，时间上我想变一下，能从７点换成６点吗？

⑤ “我想今天应该是开门的吧……。”“你还是打电话确认一下比较好。”

UNIT 42

① 坐在沙发听着美妙的音乐，最能让人放轻松了。

② 产品今天收到了，但是和我所相像中的不太一样。

③ “怎么办才好啊?”“要是青木先生的话，一定会给我们好的建议的。”

④ “这件衬衫是本店特别设计的。”“呵，挺可爱的啊！”

⑤ 又是方便面啊？营养不良要生病的哟！

UNIT 43

① 必须要换冰箱了，但是又没钱……。真让人头疼啊！

② “明天喝酒，能来吗？”可能会迟到，但是会露个面的。”

③ “昨天我一直在问讯处。”“咦？是吗？我都没注意到。”

④ “那个扔掉的话，我觉得有点儿可惜。”“知道的，那就留下来吧。”

⑤ “对不起，因为我的失误，(大家)输了。”“没那回事儿。叫你别在意了。”

UNIT 44

① 现在我把空调打开了。房间很快就会暖和的，请稍微再等一下。

② “睡了好久，可还是很疲倦。”“可能是工作的时间太长了吧。”

③ 会是什么样音乐会呢，真让人期待。

④ 这首歌里蕴含着希望世界和平的愿望。

⑤ 他说的话很好笑，大家都笑个不停。

UNIT 45

① 因为领取时需要确认是否是本人，所以请把身份证带过来。

② 这是家庭用的打印机，所以印刷速度稍微慢一些。

③ 真希望什么时候能休个长假，到世界各地去旅游。

④ 每天晚上都开着空调睡觉，所以，电费有些高了。

⑤ 这么晚还打电话过来，真不懂人情世故。

UNIT 1

① 월말이니까 오늘은 은행, 붐비고 있겠네요.

② 이번 주는 바쁘니까 답은 다음 주 시작해도 괜찮습니까?

③ "장래, 어떤 일을 하고 싶습니까?" "무역 일이 하고 싶습니다."

④ "저, 연말연시는 가게 열려 있습니까?" "네. 우리 가게는 연중무휴이니까요."

⑤ 다음 달 상순에 이사할 예정입니다.

UNIT 2

① "저 분은 아버지입니까?" "아니오, 저분은 나의 삼촌입니다"

② "여름 방학은 어딘가에 갑니까?" "네, 부모님 집에 갑니다."

③ 설 연휴는 매년 첫날에 우리 집에 친척이 모입니다.

④ "이 사진, 보아 주세요. 나의 손자입니다." "에! 모리 씨 할아버지입니까?"

⑤ "자동차 샀습니까?" "아니요, 아는 사람에게서 빌렸습니다."

UNIT 3

① "된장은 몸에 좋으니까 된장국도 제대로 마셔." "네, 네."

② "머리가 아픕니까?" "네, 어제 술을 너무 마셔서..."

③ "맥주, 조금 미지근하네요." "다시 한번, 냉장고에 넣읍시다."

④ 조금 핥아 보세요. 이 소금은 무척 맛있습니다.

⑤ 이 고기는 무척 비싸니까 잘 맛을 보며 먹어." "알았어."

UNIT 4

① "이 생선, 조금 탔어." "탄 곳은 먹지 않는 것이 좋아. 몸에 좋지 않으니까."

② 많이 끓여서 야채는 부드럽게 됐습니다.

③ "이 과자는 기름으로 튀긴 것입니까?" "아니오, 구웠을 뿐입니다."

④ 이 차, 무척 뜨거우니까 조금 식혀서 마시세요.

⑤ 감자 껍질을 까면 잘게 썰어 돼지고기와 함께 볶아 주세요.

UNIT 5

① "오늘 갈 수 없게 되어서 예약을 캔슬하고 싶습니다만." "네. 알았습니다."

② "이 쪽의 접시, 치워도 되겠습니까?" "네. 부탁하겠습니다."

③ "흡연석은 있습니까?" "죄송합니다. 모두 금연석으로 되어 있습니다."

④ "계산은 같이 하십니까?" "아니오. 따로 부탁합니다."

⑤ "어떻게 할까? 여기에서 먹고 갈까?" "별로 천천히 있을 수 없으니까 가지고 나갈까?"

UNIT 6

① 오후는 일이 있어서 조금 외출하겠습니다.

② 쓰레기는 분별해서 버려 주세요. 리사이클 할 수 있는 쓰레기는 여기입니다.

③ "일은? " "여행회사에 근무하고 있습니다."

④ "이번 주는 비가 오는 날이 많습니다." "네. 세탁물을 말릴 수 없어서 곤란합니다."

⑤ 조금 피곤한 것 같으니까 수면을 충분히 취하도록 해 주세요.

UNIT 7

① "늦었군요." "미안합니다. 전철 하차 역을 놓쳐 버렸습니다."

② "11 시 전철이지만 지금부터 나가 시간에 맞출 수 있을까요?" "음. 시간에 빠듯할 것입니다."

③ "지정석은 잡을 수 있었습니까?" "아니오. 만석이어서 이미 잡을 수 없었기 때문에

자유석으로 갑니다 ."

④ "어제 , 집에 돌아가지 않았습니까 ?" "네 . 막차를 놓쳐서 친구 집에서 묵었습니다 ."

⑤ 지하철로 갈아타는 분은 북쪽출구를 이용해 주세요 .

UNIT 8

① "몇 번째의 버스 정거장에서 내리니 ?" "잠깐 기다려 . 노선도를 볼게 .・・・ 다음 , 다음이야"

② "이 비행기는 직항편입니까 ?" "아니오 , 서울을 경유합니다"

③ "시청 행 버스는 어느 것입니까 ?" "저기에 정차해 있는 버스입니다 ."

④ "버스 운임은 언제 냅니까 ?" "내릴 때에 요금함에 넣어 주세요 ."

⑤ 버스를 탈 때 , 정리권을 뽑아 주세요 .

UNIT 9

① 이렇게 사치스러운 것이 우리 집의 식탁에 나오는 일은 없습니다 .

② "이 드라이어는 외국에서도 사용할 수 있습니까 ?" "콘센트의 형태가 같으면 사용할 수 있습니다 ."

③ 베란다에서 후지 산이 보입니까 ? 좋군요 .

④ 야마다 씨는 꽃을 좋아해서 집을 방문하면 항상 거실이나 현관에 장식되어 있다 .

⑤ 우리 집은 낡은 맨션이어서 오토로크가 아니니까 직접 여기까지 와 주세요 .

UNIT 10

① 어제 역 앞에서 선생님을 보았습니다 . 가족과 함께였습니다 .

② 계속 인파 속을 걸어서 무척 피곤하다 . 빨리 집에 돌아가고 싶다 .

③ "역시 토요일과 일요일은 통행인이 많습니다 ." ""네 . 특히 이 부근은 번화합니다 ."

④ " 이 근처에는 은행이 없습니다 ." " 현금 인출기라면 바로 저기 편의점이 있습니다 ."

⑤ 이 부근은 사무실거리이어서 점심때는 셀러리맨으로 가득 찬다 .

UNIT 11

① "이 자동판매기는 지폐를 사용할 수 있습니까 ?" "아니오 , 100 엔짜리와 10 엔짜리밖에 사용할 수 없습니다 ."

② "저 행렬은 무엇입니까 ?" "오늘부터 세일이 시작됐습니다 ."

③ "이 가격에는 소비세가 포함되어 있습니까 ?" "네 , 포함되어 있습니다 ."

④ "지급 방법은 어떻게 하시겠습니까 ?" "카드로 부탁합니다 ."

⑤ 저곳의 가게는 많이 사면 깎아 줍니다 .

UNIT 12

① "A 씨는 일하러 갈 때 넥타이를 맵니까 ?" "네 . 회사의 규칙입니다 ."

② 〈시착 실에서〉 "손님 , 어떻습니까 ?" "조금 허리가 꼭 낍니다"

③ "저 분이 스즈키 부장님의 사모님입니다 ." "무척 품위있는 분이군요 ."

④ "봐 봐 . 새 옷 샀어 ." "응 , 조금 화려하지 않아 ?"

⑤ 이 가방은 디자인이 좋고 짐도 많이 들어가니까 마음에 듭니다 .

UNIT 13

① "얼굴이 파래 . 이제 돌아가는 편이 좋지 않아 ?" "응 , 그렇게 할게 ."

② 〈가게에서〉 "이쪽의 셔츠는 무늬가 없으니까 맞추기 쉽습니다 ." "하지만 조금 수수하네요 ."

③ < 가게에서 > "좀 더 화려한 것은 없습니까 ?." "

그럼 , 이쪽의 꽃무늬는 어떻습니까 ?"

④ "어떤 컵이 좋아 ?" "그림이나 모양이나 없는 것이 좋아 . 단순한 디자인이 좋다 ."

⑤ 이 테이블 , 길이가 알맞지 않아 ?" "하지만 , 둥근 쪽이 멋지지 않아 ?"

UNIT 14

① " 오늘 발표회에 온 참가자의 수를 세 주세요 ." " 알았습니다 ."

② 사회 : 그럼 , 누군가 시간을 잴 사람을 정해 지금부터 5 분간 그룹에서 이야기를 해 주세요 .

③ " 이 여행용 가방 , 몇 킬로그램정도 일까 ?" " 체중계로 재 보면 어때 ?"

④ 〈안내〉 3 살 미만인 어린이는 입장이 무료로 되어 있습니다 .

⑤ 새 회사는 어떻습니까 ?" " 네 꽤 익숙해졌습니다 ."

UNIT 15

① " 취미는 ? " " 체육관에 가서 몸을 움직이는 것일까 . 인간관계도 넓어지고 좋아 ."

② " 플라멩코를 배우고 있니 ? " " 네 . 다음 달 콩쿨에 나가니까 오늘도 지금부터 연습입니다 ."

③ " 이봐 , 다음에 아이들과 노는 봉사활동에 참가해 보지 않을래 ?" " 나는 아이들 싫어해 ."

④ 〈 안내 〉 시에서는 외국어· 컴퓨터· 요리· 댄스· 수영 등 , 여러 가지 교실을 열고 있습니다 .

⑤ 〈여행 설명〉 이번에 묵는 여관은 온천도 달렸고 안에서 노래방과 볼링을 즐길 수도 있습니다 .

UNIT 16

① " 짐은 택배로 보낼 거니 ? 그렇지 않으면 가지고 갈 거니 ?" " 그렇게 무겁지 않으니 가지고 갈 거야 ."

② 담당자 : 이쪽의 용지에 받는 사람의 주소와 이름을 써 넣어 주세요 .

③ 항공편이면 얼마나 듭니까 ?

④ " 속달로 보내는 편이 좋을까 ?" " 아니야 , 보통우편이어도 괜찮아 ."

⑤ 배달하는 사람 : 배달물입니다 . 이쪽에 도장이나 사인을 부탁합니다 .

UNIT 17

① 〈연설〉 운명적인 만남을 한 두 사람은 그 후 , 곧 사귀기 시작했다고 합니다 .

② "하야시 선생님께서 돌아 가신 것은 쇼크였다 ." "응 . 무척 신세를 졌으니까 ."

③ 나는 동경출생이지만 자란 곳은 북해도입니다

④ 로봇을 만드는 꿈을 이루기 위해 그는 그 회사에 취직했다 .

⑤ 언젠가는 독립해서 자기 가게를 갖고 싶습니다 .

UNIT 18

① 젊었을 때는 도시에 나가고 싶다고 생각했지만 , 나이를 먹으니 시골에서 한가롭게 살고 싶어졌다 .

② " 외국인 등록증의 수속은 어디에서 할 수 있습니까 ?" " 시청에서 할 수 있습니다 ."

③ " 이번 주말은 시장 선거이군요 ." " 그러고 보니 어제 역 앞에서 후보자가 연설하고 있었습니다 ."

④ 〈뉴스〉 정부는 신 5 개년 계획을 발표했다 .

⑤ 괴롭힘에 의한 자살이 또 일어났다 . 정말로 심각한 문제다 .

UNIT 19

① 〈공장에서〉 조립이 끝난 것은 이쪽으로 날라 주세요 .

② 내 친구는 몇 년 후엔가 회사를 그만두고 농업을 시작하고 싶다고 말하고 있습니다 .

③ 〈공장에서〉 어 ? 정지 단추를 눌렀는데 멈추지

않는다 . 고장인가 ?

④ 하야시 씨는 외국 대상의 상품 개발을 하는 프로젝트팀에 들어갔다 .

⑤ 석유를 대신하는 새로운 연료의 하나로서 바이오연료의 개발이 진행되고 있다 .

UNIT 20

① 기름을 사용할 때는 주의 해 . 불이 옮겨붙으면 큰일이니까 .

② 그것은 가위보다 칼을 사용하는 편이 깨끗하게 자를 수 있습니다 .

③ 내일 바비큐용으로 부엌칼과 도마 , 그리고 플라스틱 접시라든가 종이컵 등이 필요하다 .

④ " 프린터의 잉크는 어디 있어 ?" " 거기 상자에 들어 있다고 생각하는데 ."

⑤ 건전지가 나간 것일까 ? 리모컨을 전혀 사용할 수가 없어 .

UNIT 21

① " 매일 무덥군 ." " 올해는 이상 기상이래 . 빨리 시원해졌으면 좋겠다 ."

② 이 프로그램은 자연 속에서 여러 체험을 하는 것이 목적입니다 .

③ " 오늘 아침의 지진 , 컸습니다 . 진도 4 였다고 합니다 ." " 상당히 흔들렸으니까요 ."

④ < 일기예보 > 내일은 햇살이 강하고 기온도 쑥쑥 올라가 30 도를 넘을 것 같습니다 .

⑤ 어 , 번개가 쳤습니다 . 이제 곧 소나기가 내릴지도 모르겠습니다 . あっ、

UNIT 22

① 주말에 내린 비로 벚꽃이 져 버렸다 .

② 농가 사람 말에 의하면 올해는 태풍의 영향으로 사과 수확이 적다고 합니다 .

③ 어느 사이엔가 풀이 가득 자랐네 . 슬슬 깎지 않으면 (안 되겠다).

④ 까마귀는 영리한 새이어서 인간의 행동을 잘 관찰하고 있다 .

⑤ 어머니도 나이를 먹어서 밭을 갈거나 모내기를 하거나 하는 것이 조금 힘들어진 것 같습니다 .

UNIT 23

① 지금 감기가 유행하고 있어서 외출할 때는 마스크를 하도록 하고 있습니다 .

② 감기라고 생각되면 우선 수면을 취하도록 해 주세요 . 휴식을 취하는 것이 가장 좋습니다 .

③ 다이어트로 무리하게 체중을 줄이는 것은 몸에 좋지 않습니다 .

④ 열이 있는 것인지 , 오늘 아침부터 조금 몸이 나른합니다 .

⑤ 일로 스트레스를 느낄 때는 친구와 식사하러 가거나 수다를 떨거나 합니다 .

UNIT 24

① " 아 ~ " " 한숨만 쉬고 있으면 행복은 도망간다 "

② 이 영화를 처음 보았을 때는 정말로 감동해 자연히 눈물이 나왔습니다 .

③ " 일본어로 발표하는 것은 처음이니까 긴장됩니다 ." " 그만큼 연습했으니까 괜찮아 . 진정해 "

④ " 부장님 오늘은 쭉 초조해하고 있네 ." " 응 . 무엇인가 싫은 일이라도 있었던 것이 아니야 ?"

⑤ 분하구나 . 앞으로 조금 더 하면 이겼을 텐데 .

UNIT 25

① " 하라 씨는 어느 과목을 잘했습니까 ?" " 국어라든가 영어입니다 . 과학이라든가 수학은 항상 잘 못했습니다 ."

② 〈시험회장에서〉 그럼 우선 답안용지에 이름과 수험번호를 써 주세요 .

③ 가끔 졸기는 하지만 , 수업을 빼먹은 적은 한 번도 없습니다 .

④ 시험까지 앞으로 이틀밖에 없지요? 이것을 전부 암기하는 것은 무리다.

⑤ 하야시 선생님은 전철 사고로 조금 늦는다고 하니까 그때까지 자습해 두세요.

UNIT 26

① "리포트 마감이 내일이었니?" "25 일. 하지만, 하지만, 하지만 나는 아직 주제도 정해지지 않았어."

② 제출 기한을 넘기면 서류를 접수해 주지 않는다고 합니다.

③ 나카무라 선생님은 항상 정중하게 지도해 주기 때문에 학생에게 인기가 있습니다.

④ 대학원 시험을 보는데 교수의 추천장이 필요해서 다나카 선생님에게 부탁했습니다.

⑤ 대학에서는 교육학을 전공하고 있습니다만, 지금은 전혀 관계없는 일을 하고 있습니다.

UNIT 27

① "어떤 일을 하고 있습니까?" "무역관계 회사에서 사무 일을 하고 있습니다."

② 그 일은 다나카 씨가 담당하고 있습니다만, 오늘은 쉬는 날입니다.

③ 이번 문제는 모두 내 책임입니다. 죄송했습니다.

④ 쭉 컴퓨터 앞에 앉는 것은 몸에 좋지 않아. 가끔 쉬지 않으면 안 된다.

⑤ "이번 회의에서 복사기에 대해 말하지 않으면 안 된다." "그래."

UNIT 28

① 인터넷에서 검색해서 홍차가 맛있는 가게를 발견했다.

② "그 사진, 나도 받을 수 있어?" "응, 나중에 메일로 첨부해서 보낼게."

③ "어제 메일을 보냈는데." "아, 답장하는 것을 잊어버렸다! 미안해."

④ 그럼 다음에, "예"를 클릭해 주세요. 비밀번호를 입력하는 화면이 나올 것입니다.

⑤ 데이터가 가득 찼기 때문에 필요없는 파일을 삭제했다.

UNIT 29

① "감자 모임? 이것은 무슨 단체일까?" "아마, 요리 관계가 아닐까?

② 자기의 일만 말하면 안 돼. 상대도 생각하지 않으면.

③ 우리 부모님은 사이가 좋습니다. 지금도 자주 함께 산에 오르거나 합니다.

④ "지금 회원등록을 하면 3 천엔의 상품권을 받을 수 있대." "허, 그것은 이익이네."

⑤ 윗사람과 말할 때는 제대로 된 말을 사용하도록 주의해 주세요.

UNIT 30

① "스타일이 좋군요. 무언가 운동을 하고 있습니까?" "네. 수영하고 있습니다."

② 순수한 마음으로 그녀와 사귀고 싶다고 생각합니다.

③ 그는 멋있는 것만이 아니라 머리도 좋습니다.

④ 다나카 선배는 구두쇠여서 쥬스캔 하나 사준 적이 없다.

⑤ 모리 코치가 열심히 지도해서 팀은 확실히 실력이 늘어갔다.

UNIT 31

① 모리 씨, 기타를 칩니까!? 음악에는 그다지 흥미가 없다고 생각했기 때문에 뜻밖입니다.

② 그렇게 애매한 말투는 하지 말고 확실히 말해 주세요.

③ "이 영화는 어때?" "안 되, 안 되. 너무나 시시해서 도중에 보는 것을 그만두었어."

④ 아이 때는 열중하여 공을 쫓아 다녔었습니다.

⑤ 어 , 그런 것을 말했습니까 ? 그녀가 화를 내는 것도 당연하군요 .

UNIT 32

① 갑자기 그렇게 말해도 금방은 답을 할 수 없다 .

② " 이 가게 , 자주 오니 ?" " 가끔 ."

③ 한번에 많이는 들을 수 없으니까 몇 번인가 나누어서 나릅시다 .

④ 평일치고는 상당히 사람이 많네 . 무언가 이벤트가 있는 것인가 .

⑤ 2 시간이나 서로 이야기를 했는데 결국 아무것도 정해지지 않았다 .

UNIT 33

① " 여보세요 . 지금 어디 ? " " 미안 , 길을 잃어서 . 우체국 건너편에 있어 ."

② " 이 부근에 편의점 없습니까 ?" " 거기의 신호를 오른쪽으로 꺾어지면 금방입니다 ."

③ " 이 종이 봉투 , 바닥이 찢어지지 않을까 ? " " 괜찮아 ."

④ 역의 북쪽 출구를 나오면 비스듬히 건너편에 책방이 있으니까 거기로 와 주세요 ..

⑤ 〈택시에서〉 거기의 교차로을 똑바로 가서 버스 정류장의 바로 앞에서 세워 주세요 .

UNIT 34

① " 이야기를 듣고 왕 씨는 방긋 웃었어 ." " 기뻤을 거야 ."

② 물론 면접 때는 말끔한 차림으로 갑니다 .

③ 아 , 배가 몹시 고프다 . 오늘 점심을 먹지 않았어 .

④ "CD, 가지고 와 주었어 ?" " 미안 , 완전히 잊어버렸다 . 내일 절대로 가지고 올게 ."

⑤ " 사양하지 말고 많이 드세요 ." " 감사합니다 . 잘 먹겠습니다 ."

UNIT 35

① " 내일부터 오키나와여행 , 설렌다 ." " 정말 . 무척 기대 돼 ."

② " 가게 , 아직 열려있을까 ?" "8 시까지이니까 간신히 시간에 댈 수 있지 않을까 ? 」

③ " 약을 먹고 푹 자면 금방 좋아집니다 ." " 알았습니다 ."

④ 그와 싸웠지만 말하고 싶은 것을 말하니 시원했다 .

⑤ 나이도 직업도 따로따로이지만 우리 팀은 모두 사이가 좋습니다 .

UNIT 36

① “어떻게 된 거야 ?” “컴퓨터에서 C D를 꺼낼 수 없어져서……」

② 다시 한번 생각해 보았지만 역시 그만두기로 했습니다 .

③ 선생님의 선물은 모두 서로 이야기해 정했습니다 .

④ 굉장한 양 ! 이렇게 많이 다 먹을 수 없다 .

⑤ “미안합니다 . 쓰는 장소를 틀렸습니다만 .” “자 , 새것에 다시 써 주세요 .”

UNIT 37

① “무슨 일이니? 갑자기 멈추어서서.” “아까 가게에 우산을 둔 걸 잊어버렸다 .

② “이것 취소할 때에는 어떻게 하는 걸까 ?” “이 「돌아감」 를 누르면 되지 않을까 ?”

③ 하라 씨는 의자에서 일어나자 이쪽을 향해 걸어왔다 .

④ 몇 개의 초등학교에서 이 방법을 받아들인 수업을 하고 있다 .

⑤ “금방 뒤쫓아 갈테니까 먼저 가 .” “알았어 . 그럼 천천히 걷고 있

UNIT 38

① 어제부터 왕씨와 연락을 취할 수 없습니다 .

② 대학을 나오고 나서 3 년간은 동경에서 일했었습니다 .

③ 지금 , 부상하면 시합에 나갈 수 없어진다 .

② "감기 , 이제 나았어 ?" "응 , 걱정을 끼쳐서 미안 ."

③ "토요일 , 바겐세일에 가지 않을래 ?" "미안 , 이미 예정을 넣어버렸어 ."

UNIT 39

① 아침 일찍 일어나면 조금 이익을 본 기분이 된다 .

② "지금 , 밖에서 소리가 났다 ." "응 . 잠깐 보러 가 보자 ."

③ 이 파일은 전부 종이로 되어 있어 그대로 리사이클 할 수 있습니다 .

④ 선생님께는 항상 여러 가지 상담을 하고 있습니다 .

⑤ "언제 축제가 있니 ?" "아마 다음 주 토 , 일요일이었다고 생각해 ."

UNIT 40

① 이가 아프면 참지 말고 빨리 치과의사에게 가는 편이 좋다 .

② "하라 씨는 어디 팀을 응원하고 있니 ?" "동경 고지라스 . 다음 시합도 갈 거야 ."

③ "비가 내리면 어떻게 됩니까 ?" "비가 세면 다음 주로 연기합니다 ."

④ 이 아파트 , 작년 4 월에 공사가 시작되었는데 벌써 완성됩니까 ? 빠르군요 .

⑤ 〈뉴스〉 고향으로 돌아가는 차로 고속도로는 어디나 정체되어 있습니다 .

UNIT 41

① "어떻게 하지 . 잘못해서 L 치수 사버렸다 ." "교환해 받으면 (어때)?"

② "내일 예약 , 한 사람 추가해서 8 사람으로 하고 싶습니다만 ." " 네 . 좋습니다"

③ 카드 회원에 등록하면 다음 쇼핑부터 포인트가 적립됩니다 .

④ 미안합니다 , 18 일에 예약했습니다만 , 시간을 7 시에서 6 시로 변경할 수 없습니까 ?

⑤ "아마 , 오늘은 열려 있을 거라고 생각되지만......" "전화해 확인하는 편이 좋아 ."

UNIT 42

① 소파에서 좋아하는 음악을 듣고 있을 때가 가장 릴렉스할 수 있습니다 .

② 오늘 , 상품이 도착했는데 이미지했던 것과 달랐다 .

③ "어떻게 하면 좋을까 ......" "아오키 씨라면 좋은 어드바이스를 줄거야 ."

④ "이쪽의 셔츠는 우리 가게의 오리지널 디자인입니다 ." "음 , 귀엽습니다 ."

⑤ 또 컵라면 ? 제대로 영양 발렌스를 섭취하지 않으면 병에 걸린다 .

UNIT 43

① 냉장고를 다시 사지 않으면 안 되지만 , 지금은 그런 돈은 없고....... 머리가 아프다 .

② "내일 술자리 , 올 수 있니 ?" "조금 늦을 것 같지만 , 얼굴은 내밀게 ."

③ "어제는 쭉 접수에 있었습니다 ." "어 , 그랬습니까 ? 알아채지 못했습니다 ."

④ "그것 , 버리는 것은 아까운 마음이 든다 ." "알았어 . 그럼 놔 두자 ."

⑤ "죄송합니다 . 나의 실수로 져버려서 ." "그렇지 않아 . 신경 쓰지 말라고 ."

UNIT 44

① 아버지는 오랫동안 병으로 고생을 했습니다만 , 어제 마침내 퇴원할 수 있었습니다 .

② "많이 잤는데 아직 피곤이 남아 있어 ." "아마

너무 일한 것일 거야."

③ 어떤 콘서트가 되는지 지금부터 무척 기대됩니다.

④ 이 노래에는 세계가 평화로웠으면 하는 바람이 담겨 있다.

⑤ 그의 말이 웃겨서 모두 웃음이 멈추지 않았습니다.

UNIT 45

① 받는 것은 본인 확인이 필요하기 때문에 신분증명서를 가지고 오세요.

② 가정용 프린터이어서 인쇄 속도가 조금 늦습니다.

③ 언젠가 긴 휴가를 얻어 세계 속을 여행하고 싶습니다.

④ 매일 밤 에어컨을 켜고 잤더니 전기료가 비싸게 나와버렸습니다.

⑤ 이렇게 밤늦게 전화하다니 비상식적이라고 생각한다.